Anton Tchékhov
(1860-1904)

Descendente de servos da gleba e filho de um pequeno comerciante, formou-se médico pela Universidade de Moscou. Trabalhou duramente para pagar seus estudos e sustentar a família, exercendo a medicina numa clínica rural. Depois de alguns anos, dedicou-se apenas à literatura, publicando contos em revistas. A contenção necessária do conto, numa época em que o governo russo exercia rigorosa censura sobre a intelectualidade, fez dele o criador de textos intensos e concisos. Mestre do gênero, sua visão de mundo é ética e democrática, voltada para o combate das injustiças e para a sátira contra a sociedade. Apontado pela crítica como o criador do conto sem enredo ou de atmosfera, sua obra veicula simpatia e compaixão pelos homens, sendo considerado o intérprete dos intelectuais, das mulheres e das crianças. Dramaturgo, romancista e contista, seus textos influenciaram toda a literatura ocidental.

Livros do autor na Coleção **L&PM** POCKET:

A dama do cachorrinho e outras histórias
O jardim das cerejeiras seguido de *Tio Vânia*
Um homem extraordinário e outras histórias
Um negócio fracassado e outros contos de humor

Anton Tchékhov

A DAMA DO CACHORRINHO
E OUTRAS HISTÓRIAS

Traduzido do russo por
MARIA APARECIDA BOTELHO PEREIRA SOARES

www.lpm.com.br
L&PM POCKET

Coleção **L&PM** POCKET, vol. 749

Texto de acordo com a nova ortografia.

Título original: *Dama s sobachkoy*

Primeira edição na Coleção **L&PM** POCKET: fevereiro de 2009
Esta reimpressão: setembro de 2022

Tradução: Maria Aparecida Botelho Pereira Soares
Capa: Marco Cena
Preparação: Patrícia Yurgel
Revisão: Elisângela Rosa dos Santos

CIP-Brasil. Catalogação na Fonte
Sindicato Nacional dos Editores de Livros, RJ

C444d

Tchékhov, Anton Pávlovich, 1860-1904
    A dama do cachorrinho e outras histórias / Anton Tchékhov; tradução de Maria Aparecida Botelho Pereira Soares. – Porto Alegre, RS: L&PM, 2022.
    192p. – (Coleção L&PM POCKET; v. 749)

Tradução de: *Dama s sobachkoy*
ISBN 978-85-254-1857-9

1. Ficção russa. I. Soares, Maria Aparecida Botelho Pereira. II. Título. III. Série.

08-5612.	CDD: 891.73
	CDU: 821.161.1-3

© da tradução, L&PM Editores, 2009

Todos os direitos desta edição reservados a L&PM Editores
Rua Comendador Coruja, 314, loja 9 – Floresta – 90220-180
Porto Alegre – RS – Brasil / Fone: 51.3225-5777

Pedidos & Depto. comercial: **vendas@lpm.com.br**
Fale conosco: **info@lpm.com.br**
www.lpm.com.br

Impresso no Brasil
Primavera de 2022

Sumário

Prefácio – *Maria Aparecida Botelho Pereira Soares*.............. 7

A DAMA DO CACHORRINHO E OUTRAS HISTÓRIAS

    A morte do funcionário 17
    O enxoval 21
    Aniúta 28
    A corista 34
    Vanka 41
    Vérotchka 47
    Zínotchka 63
    A irrequieta 71
    Anna no pescoço 102
    Iônytch 118
    A dama do cachorrinho 141
    A noiva 162

Prefácio

Maria Aparecida Botelho Pereira Soares

Anton Pávlovitch Tchékhov nasceu em 17 de janeiro de 1860 na cidade de Taganrog, no sul da Rússia, perto do mar de Azov. Seu pai, filho de um servo emancipado, foi administrador de uma fazenda e, depois, dono de um pequeno armazém de secos e molhados. Era um homem com vários talentos artísticos, os quais procurou transmitir aos filhos: pintava, tocava violino e dirigia um coro na igreja. Essas atividades tomavam a maior parte do seu tempo, o que o levou a fracassar como comerciante. Os filhos, cinco meninos e uma menina, desde cedo foram obrigados a dividir seu tempo entre o trabalho no armazém, os estudos e o coro da igreja, comandados com mão de ferro pelo pai, que era extremamente rigoroso e, não raro, violento. Mesmo assim, a educação paterna teve aspectos positivos, pois os filhos, apesar de todas as dificuldades, tiveram uma instrução equiparada à das crianças das classes altas: todos frequentaram o ginásio, aprenderam línguas estrangeiras, tiveram noções de música e outras artes.

De sua mãe, Anton guardou a lembrança de que ela sempre fora doce e amorosa. Essa infância difícil deixou marcas profundas na consciência do jovem, determinando a simpatia que se vê em sua obra pelos pobres, pelas crianças, pelas mulheres e, em geral, por todos os indefesos.

Toda a sociedade russa na segunda metade do século XIX, especialmente após o atentado que matou o tsar Alexandre II, perpetrado por uma organização terrorista, vivia sob um rigoroso regime de controle estatal, censura e delação. A instrução pública tinha a função de formar cidadãos obedientes e atemorizados. No ginásio público que frequentou, o regime de terror e a atmosfera opressiva impressionaram muito o jovem Tchékhov (vejam-se as lembranças de Ânia, no conto "Anna no pescoço", desta seleção).

Porém, mesmo nesse contexto, o talento do futuro escritor começou a se manifestar muito cedo. Ainda aluno do quarto ano do ginásio, com treze anos, ele já escrevia para um jornal estudantil, fazia versos satíricos e até escreveu uma peça de teatro.

Quando Tchékhov tinha quinze anos, sua família, devido a problemas financeiros do pai, deixou Taganrog às pressas, indo morar em Moscou. Para não interromper os estudos, Anton Pávlovitch ficou sozinho em sua cidade natal a fim de terminar o ginásio. Demonstrando uma maturidade precoce, o jovem, dos quinze aos dezoito anos, manteve-se por conta própria, com aulas particulares, terminou seus estudos e ainda se encarregou de vender os pertences de sua família, antes de também se mudar para Moscou. Conseguiu, por merecimento, uma bolsa de estudos da prefeitura de Taganrog para fazer um curso superior. Juntou-se à sua família em Moscou, ingressou na faculdade de medicina e, para sobreviver, começou a colaborar regularmente com diversas revistas e jornais, escrevendo pequenos contos, quase sempre de caráter humorístico ou satírico. Nessa época, ele usava um pseudônimo: Antocha Tchekhonte.

O início da década de 1880 pode ser visto como a primeira fase da atividade literária do futuro escritor, voltada para o sustento próprio e da família. Nessa época, Tchékhov via seu futuro na medicina, e não na literatura, que não era encarada ainda por ele ainda com muita seriedade. Mas, especialmente a partir de 1884, várias mudanças ocorreram na sua vida: terminou o curso de medicina e começou sua prática médica no interior como médico rural; no verão, ia com sua família para uma casa de campo perto de Moscou, onde entrava em contato com muitas pessoas de diferentes origens e formações: camponeses, intelectuais, artistas, nobres e burgueses. Lá ampliou seus horizontes e adquiriu experiência. Continuava a escrever pequenos contos para revistas, mas já havia algo novo na sua produção: os contos perderam o caráter puramente humorístico e passaram a retratar com mais seriedade e realismo a vida que Tchékhov descobria. A atividade de escritor foi se tornando cada vez mais importante na vida do jovem médico, acabando por se transformar na sua principal ocupação.

Tchékhov interessava-se pelos dramas e tragédias que ocorriam no interior das casas, não importando a classe social, e via o drama humano onde quer que ele ocorresse – na izbá de um camponês, na casa de uma pessoa de classe média, na mansão de um nobre abastado ou na casa de um nobre falido –, retratando com o maior realismo o que lá se desenrolava. Ele não produziu nenhum grande romance, mas escreveu centenas de contos, seis peças grandes para o teatro e várias peças de um só ato. Sua obra, tomada em conjunto, forma um amplo panorama da sociedade russa das duas últimas décadas do século XIX e início do século XX.

Na literatura mundial, Tchékhov é com frequência apontado como inovador em dois gêneros: como mestre do conto, sobretudo o conto curto, e como um dos fundadores do teatro moderno, juntamente com Ibsen. A sua longa prática de escrever contos curtos, humorísticos e satíricos, fez com que ele elaborasse a técnica da concisão e a capacidade de delinear a característica de um personagem apenas por alguns traços. Outra particularidade de seus contos é o humor triste e melancólico.

Na dramaturgia, um de seus recursos é o retardamento da ação e a falta deliberada de situações conflituosas e dramáticas. Ele reproduz a vida habitual das pessoas no seu fluir, sem grandes tensões e desenlaces, procurando, assim, desvendar o mundo interior dos personagens. Isso pode ser visto nas suas peças mais famosas: *Tio Vânia*, *O jardim das cerejeiras*, *As três irmãs*, *A gaivota*. Também encontramos o mesmo recurso em alguns dos seus contos – "Vérotchka", desta seleção, é um ótimo exemplo. Nesse conto, Tchékhov magistralmente retarda a ação para mostrar os processos psicológicos dos personagens.

Em várias ocasiões, em cartas para os irmãos e amigos, Tchékhov expressou suas ideias sobre literatura, especialmente sobre as qualidades que um bom conto deve apresentar. Em carta de 10 de maio de 1886 ao irmão Aleksandr, que também escrevia para revistas, ele aponta as seguintes qualidades de uma obra de ficção (conto ou novela): 1) ausência de longas verborragias de cunho político, social ou econômico; 2) total objetividade; 3) veracidade na descrição de personagens e coisas; 4) concisão absoluta; 5) ousadia e originalidade, evitando-se os chavões; 6) calor humano.

Sobre descrições da natureza, ele diz que devem ser extremamente breves e oportunas, evitando-se os lugares-comuns e as fórmulas gastas. O autor deve chamar a atenção para pequenos detalhes, agrupando-os de tal maneira que o leitor, fechando os olhos, possa "ver" todo o quadro. Uma noite enluarada pode ser criada mencionando-se apenas um brilho num caco de garrafa, na barragem de um moinho, e a sombra escura de um cão ou um lobo que passam. Ele diz, ainda, que a natureza pode se tornar um ser animado quando o autor a compara com as ações humanas. Uma bela ilustração disso pode ser vista na descrição do cemitério, no conto "Iônytch", desta seleção.

Tchékhov aconselha a fugir dos clichês também na construção dos personagens. Seus estados psicológicos não devem ser descritos pelo autor, e sim deduzidos pelo leitor a partir das ações. Ele recomenda a criação de poucos personagens: de preferência, somente dois – ele e ela...

Em carta a Maria Kisséleva, proprietária da herdade de Bábkino, nos arredores de Moscou, onde a família de Tchékhov passara os verões de 1885 a 1887, ele expressa sua convicção de que a literatura deve ser realista, reproduzindo a realidade tal como ela é, sem omitir os lados escuros e baixos do ser humano. O escritor deve ser como o químico, para quem, na natureza, não existe nada "sujo". As paixões más estão presentes na vida tanto quanto as boas.

O estilo de Tchékhov caracteriza-se pela simplicidade e pela exatidão na escolha das palavras. Ele não usa palavras difíceis nem construções rebuscadas. Em muitos trechos, sua prosa aproxima-se da poesia.

Muito se falou sobre a falta de posicionamento político de Tchékhov. Na juventude, proveniente de uma família pobre e tendo sido obrigado a lutar duramente para sobreviver e ser alguém na vida, desde cedo ele se manteve à parte na intensa luta política que transcorria no seu país. Não se aproximou de nenhum dos grupos que lutavam pela derrubada do tsarismo absolutista, contra o sistema latifundiário e os vestígios da servidão. Esse regime, secular na Rússia, permitia que uma pequena casta de favorecidos vivesse como parasitas às custas da maioria trabalhadora, ainda mantida em condições medievais.

Porém, o fato de não militar nesses grupos não significava que ele fosse indiferente. Simplesmente não acreditava em nenhum deles e considerava ingênuos e inúteis alguns movimentos, como o dos *naródniki*, intelectuais utópicos que nos anos 1880 iam para as aldeias e se misturavam com o povo para fomentar uma revolução socialista a partir dos camponeses, e não do operariado industrial.

O seu amor pela liberdade e pela justiça tomou forma concreta em dois episódios de grande repercussão: o primeiro quando, já famoso mundialmente, apoiou Émile Zola, que fora acusado de afrontar o poder constituído na França ao defender o capitão Dreyfus num rumoroso processo de flagrante injustiça. Com referência a esse fato, a intelectualidade russa se dividiu, assumindo suas verdadeiras tendências de direita ou de esquerda. O segundo episódio ocorreu quando Tchékhov e o escritor Korolenko renunciaram às suas cadeiras na Academia de Ciências, na seção de Beletrística, em apoio a Górki, que, recém-eleito para aquela Academia, teve sua eleição anulada pelo próprio tsar, sob alegação de que o escritor tinha sido acusado de crime político.

Em 1890, insatisfeito por não conseguir encontrar uma finalidade na existência e com dúvidas quanto à sua missão como escritor, Tchékhov resolve fazer uma viagem à distante ilha de Sakhalina, no extremo leste da Sibéria, local de presídios e trabalhos forçados. Lá permaneceu seis meses, fazendo censo da população. Ao voltar, escreveu um longo tratado sobre tudo o que viu, principalmente as condições desumanas nos presídios. Outra obra sua, escrita sob a influência dessa viagem, foi a famosa novela *Enfermaria nº 6*.

Embora não conseguisse se identificar inteiramente com nenhuma das correntes ideológicas do seu tempo, ele se manteve durante toda a sua vida coerente com seus valores, que incluíam o amor à liberdade, à ética, à justiça, ao verdadeiro progresso, que liberta o ser humano, à beleza, ao trabalho honesto, à verdadeira ciência, à bondade no tratamento para com os mais fracos e oprimidos, crianças e mulheres. Esta última característica se vê, nesta seleção, nos contos "Vanka", "Aniúta" e "A corista". Tinha ainda um grande amor por sua terra e pelo povo russo, no qual ele via uma grande força e um grande celeiro de pessoas boas e de valor, como o médico Dýmov, de "A irrequieta", presente neste volume.

Outro tema muito frequente na obra de Tchékhov é a crítica que ele faz à vulgaridade, à mentalidade tacanha, ao vazio do estilo de vida dos burgueses, em especial nas cidades pequenas e médias da Rússia. Na categoria de burguês ele engloba tanto a classe média quanto muitos representantes da nobreza. Alguns dos seus personagens têm consciência disso e sofrem, como o aristocrata Gúrov, do conto "A dama do cachorrinho", desta seleção, e alguém tipicamente da classe média, como o médico Iônytch, no conto homônimo, antes de ele mesmo se transformar num burguês.

Nos últimos quinze anos de sua vida, Tchékhov passa a se dedicar mais à dramaturgia, e sua produção de contos diminui. Suas primeiras peças grandes, *Ivanov* e *O silvano*, ainda na década de 1880, haviam causado muita controvérsia na crítica e no público, mas continuavam a ser encenadas. Em 1896 estreia sua peça *A gaivota*, sem sucesso. Dois anos mais tarde, Konstantin Stanislávski e Vladímir Nemiróvitch-Dântchenko, grandes diretores que acabavam de fundar o Teatro de Arte de Moscou, reencenaram a peça, dessa vez com sucesso absoluto, e desde então o símbolo do Teatro de Arte de Moscou passou a ser uma gaivota. Iniciava-se aí um período de fecunda colaboração entre Tchékhov e os diretores e atores daquele teatro. Depois desse êxito, Tchékhov escreveu *Tio Vânia* (1897), *As três irmãs* (1901), *O jardim das cerejeiras* (1903), sucessos no Teatro de Arte de Moscou e em outros teatros.

Dessa união nasceu o que se costuma chamar de "teatro tchekhoviano". Tchékhov inovou na arte cênica russa e mundial, criando peças sem conflitos agudos e sem excessos de voz e gesticulação na maneira de representar. Ele exigia dos atores comedimento, dizia que é nas entrelinhas que está a essência da peça – aquilo que deve ser mostrado com um pequeno gesto, um olhar, uma pausa, uma frase dita aparentemente ao acaso.

Outra característica de suas peças é que, ao contrário da primeira impressão, elas não foram escritas como dramas, e sim como comédias; são perpassadas do princípio ao fim por uma forte nota de lirismo, sendo por isso consideradas um novo gênero: a comédia lírica.

Essa aproximação com o grupo de Stanislávski foi importante para Tchékhov ainda por outra razão: foi então que ele conheceu o grande amor de sua vida, a atriz Olga Knipper, com quem se casou e viveu uma intensa e atribulada relação, apesar dos mais de mil quilômetros que os separavam na maior parte do tempo, uma vez que nessa época ele fora viver em Ialta, no mar Negro, seguindo conselhos médicos. Tchékhov padeceu durante a maior parte de sua vida de tuberculose, e é possível imaginar seu sofrimento: como médico, ele sabia o que isso significava numa época em que não havia cura para essa doença. No seu último conto, "A noiva", presente nesta seleção, o personagem Sacha é até certo ponto autobiográfico.

Porém, mesmo sofrendo de uma doença incurável, Tchékhov conservou até o fim dos seus dias o otimismo. No conto "A noiva", bem como em sua última peça, *O jardim das cerejeiras*, ele usou como porta-vozes os personagens mais jovens, que expressavam a sua certeza de que alguma coisa boa estava para acontecer, de que haveria mudanças para melhor e de que um futuro grandioso, que para ele ainda não tinha contornos muito definidos, chegaria para a Rússia e para a humanidade.

Tchékhov morreu em 1º de julho de 1904, em um sanatório na cidade alemã de Badenweiler, um ano antes da primeira revolução russa, de caráter liberal, ocorrida em 1905 e sufocada pelas tropas do tsar.

A DAMA DO CACHORRINHO
E OUTRAS HISTÓRIAS

A morte do funcionário

Em uma noite esplêndida, o não menos esplêndido funcionário encarregado de seção Ivan Dmítritch Tcherviakov* estava sentado na segunda fileira do teatro e assistia pelo binóculo à apresentação de *Os sinos de Corneville*.** Olhava e se sentia no auge da bem-aventurança. Mas, de repente... Nas narrativas, encontra-se com frequência esse "mas, de repente". Os autores estão certos: a vida é tão cheia de acontecimentos inesperados! De repente, seu rosto enrugou, os olhos reviraram, sua respiração parou... Ele afastou o binóculo dos olhos, inclinou-se para a frente e... atchim!!! Espirrou, como vocês perceberam. Não se proíbe a ninguém e em parte alguma de espirrar. Camponeses e chefes de polícia espirram, e às vezes até conselheiros secretos espirram. Todo mundo espirra. Tcherviakov não ficou nem um pouco embaraçado; enxugou-se com o lenço e, sendo um homem educado, olhou em volta para ver se havia incomodado alguém com seu espirro. Mas então foi inevitável que ficasse atrapalhado. Ele viu que um velhinho, sentado à sua frente, na primeira fileira, enxugava cuidadosamente a careca e o pescoço com a luva e resmungava alguma coisa. Tcherviakov reconheceu no velhinho o general civil*** Bryzjálov, funcionário do departamento de viação.

---

* Este sobrenome é formado a partir da palavra russa *tcherv'*, que significa "verme", o que já é um início de caracterização do personagem. (N.T.)
** Opereta do compositor francês Robert Planquette. (N.T.)
*** Na Rússia tsarista, os funcionários civis tinham postos paralelos aos dos militares. Este sobrenome também serve aos propósitos humorísticos muito utilizados por Tchékhov, pois vem do verbo *brýzgat'*, que significa "salpicar, borrifar". (N.T.)

"Eu cuspi nele!" – pensou Tcherviakov. – "Não é meu chefe, é de outro departamento, mas mesmo assim é embaraçoso. Tenho de pedir desculpas."

Tcherviakov deu uma tossidinha, inclinou o tronco para frente e sussurrou no ouvido do general:

– Perdoe-me, Excelência, eu espirrei no senhor... Foi sem querer...

– Não foi nada, não foi nada...

– Pelo amor de Deus, me perdoe. Pois... eu não queria!

– Ah, sente-se, por favor! Deixe-me ouvir a cena!

Tcherviakov ficou confuso, sorriu com ar apalermado e olhou para o palco. Ele assistia à peça, mas já não sentia a mesma bem-aventurança. A preocupação começou a torturá-lo. No intervalo, aproximou-se de Bryzjálov, ficou andando por perto dele e, vencendo a timidez, balbuciou:

– Eu espirrei no senhor, Excelência... Perdoe-me... Eu... não tinha a intenção...

– Ah, já chega... Eu já esqueci, mas o senhor continua a falar no assunto! – disse o general, mexendo com impaciência o lábio inferior.

"Ele diz que esqueceu, mas tem maldade no olhar" – pensou Tcherviakov, olhando desconfiado para o general. – "E não quer conversa. Era importante explicar para ele que não tive nenhuma intenção... que é uma lei da natureza, senão pode pensar que eu quis cuspir nele. Pode não pensar agora, mas depois vai pensar!..."

Chegando em casa, Tcherviakov contou à mulher sua grosseria. Mas lhe pareceu que ela reagiu de modo muito leviano ao ocorrido. Apenas levou um susto, porém depois, quando soube que Bryzjálov não era do departamento do marido, sossegou.

– Apesar de tudo, vá procurá-lo e peça desculpas – disse ela. – Senão ele vai pensar que você não sabe se comportar em público.

– Mas aí é que está! Eu me desculpei, mas ele agiu de modo estranho... Não disse nem uma palavra que prestasse. E não houve tempo para conversarmos.

No dia seguinte, Tcherviakov vestiu seu novo uniforme de serviço, cortou o cabelo e foi procurar Bryzjálov para se explicar. Ao entrar na antessala, viu ali muitos solicitantes e entre eles o próprio general, que já tinha começado o atendimento. Após interrogar alguns solicitantes, o general levantou os olhos para Tcherviakov.

– Ontem, no "Arcádia", se Vossa Excelência se recorda – começou a expor o encarregado de seção –, eu dei um espirro e... sem querer, respingou... Peço desc...

– Quanta bobagem... Só Deus sabe o que é isso! O senhor, o que deseja? – disse o general, dirigindo-se ao próximo solicitante.

"Não quer conversar!" – pensou Tcherviakov, empalidecendo. – "Significa que está com raiva... Não, isso não pode ficar assim... Hei de lhe explicar..."

Quando o general terminou o atendimento ao último solicitante e se dirigiu às dependências internas, Tcherviakov foi atrás dele e começou a balbuciar:

– Excelência! Se ouso incomodá-lo, é precisamente pelo sentimento de arrependimento, posso lhe assegurar!... Não fiz de propósito, o senhor sabe disso!

O general fez uma expressão de choro e um gesto de pouco-caso com a mão.

– O senhor simplesmente está zombando de mim, cavalheiro! – disse ele, sumindo atrás da porta.

"Onde ele viu zombaria?" – pensou Tcherviakov. – "Não houve zombaria nenhuma! É um general, mas não consegue compreender! Se é assim, não vou mais me desculpar com esse fanfarrão! Que vá para o diabo! Vou lhe escrever uma carta, mas não o procuro mais! Juro, nunca mais!"

Esses eram os pensamentos de Tcherviakov enquanto ia para casa. Mas a carta para o general ele não escreveu.

Pensou, pensou e não conseguiu redigi-la. Foi necessário ir pessoalmente se explicar no dia seguinte.

— Ontem vim incomodá-lo — balbuciou Tcherviakov, quando o general o olhou interrogativamente —, não para zombar de Vossa Excelência, como se dignou a afirmar. Eu estava pedindo desculpas porque espirrei e atirei respingos... e nunca pensei em zombar. Ousaria eu fazer uma zombaria? Se isso acontecer, significa que não haverá mais nenhum respeito para com as pessoas...

— Fora daqui! — vociferou o general, já azul e tremendo.

— O que, senhor? — sussurrou Tcherviakov, entorpecido de pavor.

— Fora daqui! — repetiu o general, sapateando.

Algo rebentou dentro da barriga de Tcherviakov. Sem conseguir ver nem ouvir nada, ele recuou até a porta, saiu para a rua e foi embora arrastando-se. Chegou maquinalmente em casa, deitou-se no divã sem tirar o uniforme e... morreu.

Julho de 1883

O enxoval

Na minha vida, vi muitas casas, grandes e pequenas, de pedra e de madeira, velhas e novas. Mas uma em particular gravou-se na minha memória. Essa, aliás, não é uma casa, é uma casinha. Uma casinha de um andar, com três janelas, terrivelmente parecida com uma velhinha pequena, corcunda e de touca. É rebocada e pintada de branco, coberta de telhas, com uma chaminé semidestruída. Está mergulhada na folhagem verde de amoreiras, acácias e álamos, plantados ali pelos avós e bisavós dos atuais proprietários. A casa não é visível atrás dessa verdura. A propósito, essa massa verde não a impede de ser uma casa urbana. Seu largo pátio está enfileirado, lado a lado, com outros pátios, também largos e verdes, formando a rua Moskóvskaia. Ninguém jamais passa de carro por essa rua, e é raro alguém andar a pé por ela.

As persianas dessa casinha estão sempre fechadas: os moradores não necessitam de luz. A luz é dispensável para eles. As janelas nunca se abrem, porque os habitantes da casinha não gostam de ar fresco. Pessoas que vivem permanentemente entre amoreiras, acácias e bardanas são indiferentes à natureza. Somente aos veranistas das casas de campo é que Deus deu a capacidade de compreender a beleza da natureza; já o restante da humanidade atola-se em profunda ignorância. As pessoas não valorizam o que possuem. "Não conservamos o que é nosso" – costuma-se dizer. Mais do que isso: nós não amamos aquilo que é nosso. Em torno da casinha, há um paraíso terrestre, verde, cheio de pássaros alegres; já dentro da casinha, um horror! No verão, é tórrido e abafado; no inverno, quente como uma sauna, com um ar viciado e um enorme tédio...

A primeira vez que visitei essa casinha foi há muito tempo, e eu tinha uma incumbência: viera para transmitir os cumprimentos do dono da casa, coronel Tchikamássov, a sua esposa e a sua filha. Lembro-me perfeitamente dessa minha primeira visita, e não poderia ser diferente.

Imagine uma mulherzinha sem traquejo social, de uns quarenta anos, que olha para você com espanto e pavor no momento em que você passa do vestíbulo para a sala. Você é um "estranho", uma visita, "um jovem rapaz" – e isso já é suficiente para despertar espanto e pavor. Você não tem na mão nem maça, nem machado, nem revólver; você está sorrindo amistosamente, mas é recebido com ansiedade.

– A quem eu tenho a honra e a satisfação de receber? – pergunta com voz trêmula a senhora de meia-idade, que você identifica como a senhora Tchikamássova.

Você diz o seu nome e explica o motivo de sua vinda. O pavor e o espanto são substituídos por um "ah!" estridente e alegre, acompanhado de um revirar de olhos. Esse "ah", como um eco, é transmitido do vestíbulo para a sala de visitas, da sala de visitas para a sala de jantar e desta para a cozinha... assim chegando até a adega. Em pouco tempo, toda a casinha se enche de muitos tipos de "ah", alegres e variados. Cinco minutos depois, você já está sentado na sala de jantar, num grande divã, macio e quente, ouvindo toda a rua Moskóvskaia exclamar "ah".

Sentia-se um cheiro de pó para traças e de uns sapatos novos, de pele de cabra, que estavam sobre a cadeira ao lado, enrolados num lenço. Nas janelas havia gerânios e retalhos de musselina. Nos retalhos, um monte de moscas de barriga cheia. Na parede pendia o retrato de um arcipreste, pintado a óleo, coberto por um vidro com um cantinho quebrado. Partindo do arcipreste, começava uma fileira de antepassados com fisionomias amarelo-limão, parecendo ciganos. Sobre a mesa estavam um dedal, um novelo de linha e um pé de meia não totalmente tecido; no chão havia moldes e uma blusinha preta com linhas de um colorido vivo. No quarto ao lado, duas velhinhas assustadas e apressadas apanhavam do chão moldes e retalhos...

– Está uma desordem terrível aqui, nos desculpe! – disse Tchikamássova.

Ela conversava comigo e olhava confusa para a porta, atrás da qual as senhoras estavam catando os moldes. A porta, também de modo confuso, ora se entreabria, ora se fechava.

– O que você quer? – disse Tchikamássova em direção à porta.

– *Où est mon cravatte, lequel mon père m'avait envoyé de Koursk**? – perguntou de trás da porta uma voz feminina.

– *Ah, est ce que, Marie, que***... Ah, será possível? *Nous avons donc chez nous un homme très peu connu par nous...**** Pergunte à Lukéria...

"Mas como nós falamos bem francês!" – li nos olhos de Tchikamássova, que estava corada de satisfação.

Logo depois, a porta se abriu e eu vi uma donzela alta e magra, de uns dezenove anos, com um vestido longo de musselina e um cinto dourado, do qual, me recordo, pendia um leque de madrepérola. Ela entrou, sentou-se e enrubesceu. Inicialmente enrubesceu seu nariz comprido, um pouquinho bexiguento; dali, o rubor caminhou para os olhos e, de lá, para as têmporas.

– Esta é a minha filha! – disse Tchikamássova com voz cantada. – E este, Mánetchka****, é o jovem que...

Eu me apresentei e expressei meu espanto pela enorme quantidade de moldes. Mãe e filha baixaram os olhos.

---

* Onde está minha gravata que meu pai me mandou de Kursk? (Os erros estão no original.) (N.T.)
** Ah, será possível, Maria, que... (N.T.)
*** Está aqui uma pessoa que nós mal conhecemos... (Esta tradução do francês, bem como as anteriores, são da edição russa.) (N.T.)
**** Diminutivo de Mánia, apelido do nome Maria. (N.T.)

– No dia da Ascensão houve aqui uma feira – disse a mãe. – Nós sempre compramos uma grande quantidade de tecidos na feira, e depois passamos o ano inteiro costurando, até a próxima feira. Nunca entregamos a costura para outros fazerem. Meu Piotr Semiônytch não ganha muito e não podemos nos permitir luxos. Temos de costurar nós mesmas.

– Mas quem aqui usa tal quantidade de roupas? Pois vocês são só duas.

– Ah... Será que isso se pode usar? Não é para usar. Isso é o enxoval!

– Ah, *maman*, o que está dizendo! – disse a filha, corando. – Este senhor vai de fato pensar que... Eu nunca me casarei! Nunca!

Ela disse isso, mas na palavra "casarei" seus olhinhos brilharam.

Trouxeram chá, torradas, geleia, manteiga, depois serviram framboesas com creme. Às sete da noite, houve um jantar composto de seis pratos, e durante o jantar eu ouvi um bocejo alto no quarto ao lado. Olhei espantado para a porta: um bocejo assim só pode ser de homem.

– É o irmão de Piotr Semiônytch, Iegor Semiônytch... – esclareceu Tchikamássova, notando meu espanto. – Ele mora conosco desde o ano passado. Desculpe-o, ele não pode aparecer para o senhor. É meio selvagem... Fica confuso na presença de estranhos. Pretende ir para um mosteiro... Alguém o ofendeu no trabalho... E agora, por causa da mágoa...

Depois do jantar, Tchikamássova mostrou uma *epitrakhil**, que Iegor Semiônytch bordara pessoalmente para dar de presente à igreja. Por um instante, Mánetchka despiu-se de sua timidez e mostrou-me uma bolsa para tabaco que ela havia bordado para o seu paizinho. Quando demonstrei estar surpreso com o seu trabalho, ela ficou toda vermelha

---

* Longa tira de tecido, em geral ricamente bordada, que os sacerdotes ortodoxos trazem ao pescoço durante os serviços religiosos, com as pontas pendentes na frente do corpo. (N.T.)

e cochichou algo no ouvido da mãe. Esta ficou exultante e me propôs ir com ela ao depósito, onde vi uns cinco baús grandes e uma infinidade de caixas e baús pequenos.

– Isto... é o enxoval! – sussurrou a mãe. – Nós mesmas confeccionamos.

Depois de ver esses sombrios baús, comecei a me despedir das hospitaleiras proprietárias. Exigiram que eu desse minha palavra de que voltaria algum dia.

Tive oportunidade de cumprir o que prometera uns sete anos depois da minha primeira visita, quando fui enviado àquela cidadezinha como perito em um caso judiciário. Ao entrar na casinha, já minha conhecida, ouvi os mesmos "ah!"... Elas me reconheceram... Como não haveria de ser? Minha primeira visita fora um grande acontecimento na vida delas e, onde acontece pouca coisa, isso se recorda durante muito tempo... Quando entrei na sala de visitas, a mãe, ainda mais gorda e já com cabelos grisalhos, arrastava-se pelo chão e cortava um tecido azul-escuro; a filha estava sentada no divã, bordando. Os mesmos moldes, o mesmo cheiro de pó para traças, o mesmo retrato com o cantinho quebrado. Contudo, ocorreram mudanças. Ao lado do retrato do arcipreste, pendia o retrato de Piotr Semiônytch, e as duas senhoras estavam de luto. Piotr Semiônytch havia morrido uma semana depois de sua promoção a general.

Começaram as recordações... A viúva do general derramou algumas lágrimas.

– É uma tristeza enorme para nós! – disse ela. – Piotr Semiônytch – o senhor conhece? – Já não está mais conosco. Eu e ela estamos órfãs e temos de cuidar de nós mesmas. Mas Iegor Semiônytch está vivo, e não podemos falar nada de bom sobre ele. Não o aceitaram no mosteiro, porque... bebe demais. E agora está bebendo ainda mais, de tristeza. Estou pensando em ir me queixar ao decano da nobreza. Imagine o senhor que várias vezes ele abriu os baús, pegou peças do enxoval de Mánetchka e deu para os romeiros. Aos poucos ele esvaziou dois baús! Se continuar assim, minha Mánetchka vai ficar completamente sem dote...

– Que a senhora está dizendo, *maman*! – disse Mánetchka embaraçada. – Só Deus sabe o que esse senhor vai pensar... Eu nunca, nunca vou me casar!

Mánetchka olhou inspirada e com esperança para o teto, pelo visto não acreditando no que dizia.

Pelo vestíbulo esgueirou-se uma pequena figura masculina, com uma calva profunda, casaco marrom e galochas em vez de botas, provocando um leve rumor, como um rato.

"Deve ser Iegor Semiônytch" – pensei.

Dei uma olhada na mãe e na filha: ambas haviam envelhecido muito, estavam macilentas. A cabeça da mãe cobria-se de prata, a filha desbotara, murchara, e parecia que a mãe era mais velha do que a filha uns cinco anos no máximo.

– Pretendo ir procurar o decano da nobreza – disse a velha, esquecendo-se de que já havia dito isso. – Quero fazer uma queixa! Iegor Semiônytch tira tudo que confeccionamos e doa não sei a quem para salvar sua alma. Minha Mánetchka ficou sem seu enxoval!

Mánetchka corou, mas dessa vez não disse nada.

– Será preciso fazer tudo de novo, mas Deus sabe que não somos ricaças, de modo algum! Nós duas estamos órfãs!

– Estamos órfãs! – repetiu Mánetchka.

No ano passado, o destino novamente me atirou naquela casinha que eu conhecia. Entrei na sala de visitas e vi a velha Tchikamássova toda de preto, com crepes na roupa, sentada no divã, costurando algo. Ao seu lado estava um velhinho de casaco marrom e de galochas em vez de botas. Ao me ver, o velhinho levantou-se de um salto e correu para fora da sala...

Em resposta ao meu cumprimento, a velhinha sorriu e disse:

– *Je suis charmée de vous revoir, monsieur.**

---

* Estou muito contente de revê-lo, senhor. (N.A.)

– O que a senhora está costurando? – perguntei, passado algum tempo.

– Uma camisa. Eu faço e levo para o padre esconder, senão Iegor Semiônytch carrega. Agora dou tudo para o padre esconder – disse ela, sussurrando.

E, dando uma olhada para o retrato da filha sobre a mesa próxima, suspirou e disse:

– Como vê, estamos órfãos!

Mas onde está a filha? Onde está Mánetchka? Não perguntei; não queria interrogar a velhinha vestida de luto profundo. Durante o tempo todo que passei na casinha, e também quando já estava de saída, Mánetchka não apareceu, e nem ao menos ouvi sua voz, ou seus passos leves, tímidos... Tudo ficou claro. Saí com um peso no coração...

Agosto de 1883

Aniúta

No mais barato dos quartinhos mobiliados do "Lissabon"*, o estudante do terceiro ano de medicina Stepan Klotchkov decorava com afinco a matéria do curso, andando de um lado para o outro. De tanto decorar, sem uma pausa para descanso, sua garganta ficou seca e gotas de suor brotaram na sua testa.

Junto à janela, que tinha os cantos dos vidros cobertos de arabescos de gelo, estava sentada sua inquilina Aniúta, uma moça morena, pequenina, magrinha, de uns 25 anos, muito pálida, com tímidos olhos acinzentados. Inclinada para frente, ela bordava com linha vermelha a gola de uma camisa masculina. O trabalho era urgente... O relógio do corredor bateu duas horas da tarde, e o quartinho ainda não tinha sido arrumado. Um cobertor embolado, travesseiros atirados aqui e ali, livros, roupas, uma grande bacia suja cheia de água com sabão onde boiavam pontas de cigarro, lixo no chão – dava a impressão de que havia um monte de coisas amarfanhadas atiradas de propósito...

– O pulmão direito é formado por três partes... – recitou Klotchkov. – Os limites! A parte superior, na parede anterior do tórax, abrange até quatro ou cinco costelas; na superfície lateral, até a quarta costela... atrás, até a *spina scapulae*...**

Em um esforço para imaginar o que acabara de ler, Klotchkov levantou os olhos para o teto. Não conseguindo uma imagem clara, começou a apalpar em si mesmo, através do colete, as costelas superiores.

---

* Uma entre várias casas de cômodos que havia na época, onde se alugavam quartos mobiliados. (N.T.)

** Termo de anatomia em latim: espinha da escápula ou da omoplata. (N.T.)

– Estas costelas parecem teclas de piano – disse ele. – Para não errar na contagem, é indispensável acostumar-se com elas. Será necessário estudar no esqueleto e em pessoas vivas... Venha cá, Aniúta, deixe eu me orientar.

Aniúta largou o bordado, tirou a blusa e endireitou o corpo. Klotchkov sentou-se na frente dela, franziu o cenho e começou a contar as costelas.

– Hum... Não sinto a primeira costela... Ela fica atrás da clavícula... Esta aqui deve ser a segunda costela... É isso... E esta é a terceira... Esta é a quarta... Hum... É isso. Por que está se encolhendo?

– Os dedos do senhor estão frios!

– Ora, ora, não vai morrer disso, não fique se remexendo. Então, esta é a terceira costela, e esta é a quarta. Você é magricela, mas quase não se consegue apalpar as costelas... Esta é a segunda, esta é a terceira... Não, assim fica confuso e não se tem uma visão clara... É necessário desenhar... Onde está meu carvão?

Klotchkov pegou o pedaço de carvão e riscou no peito de Aniúta algumas linhas paralelas, correspondentes às costelas.

– Formidável! Claro como a palma da minha mão... Bem, agora podemos dar batidinhas. Fique em pé!

Aniúta levantou-se e ergueu o queixo. Klotchkov ficou tão absorvido dando pancadinhas que não notou que os lábios, o nariz e os dedos da moça estavam azuis de frio. Aniúta tremia e receava que, se notasse seu tremor, o estudante desistisse de desenhar com o carvão e depois não fizesse uma boa prova.

– Agora está tudo claro – disse Klotchkov, parando de bater. – Fique aí sentada e não apague o carvão enquanto eu decoro mais umas coisinhas.

E o estudante pôs-se novamente a caminhar e a memorizar a matéria. Aniúta, com listas pretas no peito, como se estivesse tatuada, ficou sentada, encolhida de frio e pensando. Em geral, ela falava muito pouco, estava sempre calada e pensava, pensava...

Nos seis ou sete anos em que perambulou por quartos mobiliados, como o de Klotchkov, ela conhecera uns cinco rapazes. Agora todos eles haviam terminado seus cursos, ficaram importantes e, naturalmente, como pessoas da sociedade, há muito a esqueceram. Um deles mora em Paris, dois são médicos, o quarto é um pintor, e o quinto, dizem, já é até catedrático. Klotchkov é o sexto... Em breve ele também terminará seu curso, ficará importante. Sem dúvida, o futuro será maravilhoso, e provavelmente Klotchkov será um grande homem, mas o presente é muito ruim: Klotchkov não tem tabaco nem chá, e restaram quatro pedacinhos de açúcar. Ela precisava terminar o quanto antes o bordado, levar para a mulher que o havia encomendado e depois comprar tabaco e chá com os vinte e cinco copeques que ia receber.

— Posso entrar? — ouviu-se atrás da porta.

Aniúta atirou rapidamente um xale de lã sobre os ombros. Entrou o pintor Fetíssov.

— Vim lhe fazer um pedido — começou ele, dirigindo-se a Klotchkov com um olhar feroz por baixo dos cabelos que lhe caíam na testa. — Faça-me um favor: me empreste sua maravilhosa donzela por umas duas horinhas! Estou pintando um quadro e sem um modelo vivo, entende, é completamente impossível!

— Ah, com prazer! — concordou Klotchkov. — Vá, Aniúta.

— O que eu já não vi lá! — murmurou Aniúta.

— Ah, deixa disso! A pessoa está pedindo pelo bem da arte, e não para alguma bobagem. Por que não ajudar, se você pode?

Aniúta pôs-se a vestir a roupa.

— O que está pintando? — perguntou Klotchkov ao pintor.

— Psiquê. O tema é bom, mas não estou conseguindo, tenho de mudar o tempo todo de modelo. Ontem pintei com uma que tinha os pés azuis. Perguntei: "Por que seus pés estão azuis?" É porque as meias soltam tinta", disse ela. E você continua a decorar! É feliz, tem paciência para isso.

– A medicina é uma coisa que sem decoreba não dá.

– Hum... Desculpe, Klotchkov, mas você vive numa terrível imundície... Só Deus sabe como você vive!

– Quer saber como? Não posso viver de outro modo... Meu pai só me manda doze rublos por mês, e com esse dinheiro é impossível viver decentemente.

– Bem, isso é verdade... – disse o pintor, fazendo uma careta de nojo. – Mas mesmo assim é possível viver um pouco melhor... Um homem culto tem obrigação de ter estética. Não é verdade? Mas isto aqui, só o diabo entende. A cama não está arrumada, água suja, lixo... mingau de ontem no prato... eca!

– É verdade – disse o estudante, confuso –, mas Aniúta hoje não teve tempo de arrumar. Ficou ocupada o dia inteiro.

Depois que Aniúta e o pintor saíram, Klotchkov deitou-se no divã e voltou à memorização. Sem querer, adormeceu. Meia hora depois, ao acordar, apoiou a cabeça nas mãos e afundou-se em pensamentos sombrios. Lembrou-se das palavras do pintor sobre a necessidade do homem culto de viver com estética, e, de fato, o ambiente do seu quarto agora lhe pareceu nojento, repulsivo. Parecia imaginar com o olho da razão o seu futuro – ele atendendo os pacientes no seu consultório, tomando chá numa grande sala de jantar, em companhia de uma esposa da boa sociedade – e ali, aquela bacia de água suja com pontas de cigarro dava uma impressão incrivelmente asquerosa. Aniúta já lhe parecia uma pessoa feia, sem elegância, digna de pena... Então ele tomou a resolução de separar-se dela imediatamente, custasse o que custasse.

Quando Aniúta voltou do quarto do pintor e começou a tirar o casaco, ele se levantou e lhe disse seriamente:

– É o seguinte, minha querida... Sente-se e ouça. Precisamos nos separar! Em suma, não quero mais viver com você.

Aniúta chegara do quarto do pintor completamente exausta, esgotada. Seu rosto, em consequência da longa imobilidade na pose, tinha ficado mais magro e cavado, o queixo estava mais pontudo. Ela não respondeu às palavras do estudante e seus lábios apenas tremeram.

– Concorde que cedo ou tarde teríamos de nos separar, de um jeito ou de outro – disse o estudante de medicina. – Você é boa, generosa e não é boba; você entenderá...

Aniúta vestiu novamente o casaco, em silêncio embrulhou o bordado num papel, ajuntou as linhas e agulhas; procurou o embrulhinho com os quatro pedaços de açúcar na janela e colocou sobre a mesa ao lado dos livros.

– Isto é o seu... açúcar... – disse ela baixinho, virando-se de costas para esconder as lágrimas.

– Ora, por que está chorando? – perguntou Klotchkov.

Embaraçado, ele deu uns passos pelo quarto e disse:

– Mas como você é estranha... Você mesma sabe que temos de nos separar. Não vamos viver a vida toda juntos.

Ela já tinha reunido todas as suas trouxinhas e se pusera de frente para ele, para se despedir, quando ele teve pena dela.

"Será que ela não poderia ficar aqui mais uma semana?", pensou. "É isso mesmo, que fique mais um pouco, e daqui a uma semana eu a mando embora."

E, aborrecido por não ter personalidade, gritou com ela em tom severo:

– Então, o que está fazendo aí em pé! Se é para sair, saia, mas se não quer, tire o casaco e fique! Fique!

Calada, Aniúta tirou o casaco devagar, depois assoou o nariz, também sem fazer barulho, suspirou e silenciosamente se dirigiu para a sua posição habitual: no tamborete junto à janela.

O estudante pegou o livro e novamente se pôs a andar de um lado para o outro.

– O pulmão esquerdo é composto de três partes... – memorizava. – A parte superior, na parede anterior do tórax, abrange até quatro ou cinco costelas...

E, no corredor, alguém gritou a plenos pulmões:

– Grigóri! O samovar!

Fevereiro de 1886

A CORISTA

Certa vez, quando ela era mais jovem, mais bonita e sua voz era mais sonora, na mansarda da casa de veraneio lhe fazia companhia um seu admirador, Nikolai Petróvitch Kolpakov. Estava um calor abafado, insuportável. Kolpakov, que havia acabado de almoçar e de beber uma garrafa inteira de um vinho do Porto muito ruim, estava mal-humorado e indisposto. Ambos entediavam-se e esperavam o calor diminuir para darem um passeio.

De repente, sem que ninguém esperasse, tocaram a sineta da porta da frente. Kolpakov, que estava sem casaco e de sapatos, deu um salto e olhou com ar de interrogação para Pacha.*

– Deve ser o carteiro, ou talvez uma amiga – disse a cantora.

Kolpakov não se sentia embaraçado nem diante das amigas de Pacha nem dos carteiros, mas, por via das dúvidas, juntou suas roupas e foi para o quarto contíguo, enquanto Pacha corria para abrir a porta. Para sua grande surpresa, a pessoa que estava na soleira não era o carteiro nem uma amiga, e sim uma mulher desconhecida, jovem, bonita, vestida como aristocrata e, por todas as aparências, da boa sociedade.

A desconhecida estava pálida e respirava com dificuldade, como se tivesse subido muitos degraus de escada.

– O que a senhora deseja? – perguntou Pacha.

A dama não respondeu de imediato. Avançou um passo, olhou devagar toda a sala, a seguir sentou-se, como se não aguentasse mais ficar de pé – ou porque estivesse

---

* Apelido de alguns nomes começados por Pa, como Parácia, Parasqueva (ou Prascóvia), Pavla (feminino de Pável). (N.T.)

cansada, ou porque se sentisse mal; depois passou um bom tempo movendo os lábios pálidos, tentando dizer alguma coisa.

– Meu marido está aqui? – perguntou por fim, erguendo para Pacha seus grandes olhos com pálpebras vermelhas de tanto chorar.

– Que marido? – disse Pacha num sussurro. De repente, ela ficou tão assustada que suas mãos e seus pés ficaram gelados. – Que marido? – repetiu, começando a tremer.

– O meu marido... Nikolai Petróvitch Kolpakov.

– N-não, minha senhora... Eu... eu não conheço nenhum marido.

Houve um minuto de silêncio. A desconhecida passou várias vezes o lenço nos lábios pálidos e, para dominar o tremor interno, continha a respiração, enquanto Pacha continuava de pé na sua frente, imóvel, como se estivesse presa no chão, olhando-a com perplexidade e pavor.

– Quer dizer que, pelo que a senhora está dizendo, ele não está aqui? – perguntou a dama, já com voz firme e sorrindo de maneira estranha.

– Eu... eu não sei de quem a senhora está falando.

– A senhora é desprezível, vil, infame... – balbuciou a desconhecida, examinando Pacha com ódio e aversão. – É isso mesmo, a senhora é desprezível. Fico muito feliz de poder finalmente lhe dizer isso.

Pacha sentiu que para essa dama de preto, com olhos raivosos e dedos compridos e alvos, ela causava a impressão de algo baixo, hediondo, e sentiu vergonha de suas bochechas gorduchas e vermelhas, das marcas de varíola no seu nariz e da franjinha na testa, que não ficava para cima de jeito nenhum. Parecia-lhe que, se ela fosse magra, não se empoasse e não tivesse franja, seria possível disfarçar que ela não era uma pessoa decente, e não teria tanto pavor e vergonha de ficar diante de uma dama desconhecida e misteriosa.

– Onde está meu marido? – continuou a dama. – De qualquer modo, se ele está aqui ou não, não me interessa, mas devo lhe dizer que foi descoberto um desfalque e estão procurando Nikolai Petróvitch... Querem prendê-lo. Vejam o que vocês fizeram!

A dama levantou e, em grande desespero, começou a andar pela sala. Pacha ficou olhando para ela sem compreender nada, de tão apavorada que estava.

– Hoje mesmo vão encontrá-lo e prendê-lo – disse a dama com um soluço, e nesse som havia uma nota de insulto e irritação. – Eu sei quem o levou a esse horror! Miserável, ordinária! Criatura nojenta e venal! (Os lábios da senhora se contorceram e seu nariz se enrugou de nojo.) Estou impotente... Escute, mulher desprezível!... Estou impotente, a senhora é mais forte do que eu, mas existe alguém que vai olhar por mim e por meus filhos! Deus tudo vê! Ele é justo! Ele vai cobrar da senhora cada uma das minhas lágrimas, cada uma das noites que passei sem dormir! Vai chegar esse dia, a senhora há de se lembrar de mim!

Fez-se novamente silêncio. A dama andava pela sala contorcendo as mãos, e Pacha continuava a olhar para ela, perplexa, sem entender nada e esperando algo terrível da mulher.

– Madame, eu não sei de nada! – pronunciou Pacha e pôs-se de repente a chorar.

– Está mentindo! – gritou a senhora, lançando-lhe um olhar cheio de ódio. – Eu sei de tudo! Eu a conheço há muito tempo! Sei que neste último mês ele esteve na sua casa todos os dias!

– Sim, e daí? Que conclusão se pode tirar disso? Eu recebo muitas visitas, mas não obrigo ninguém a ficar aqui. Cada um é livre para fazer o que quiser.

– Já lhe disse: foi descoberto um desfalque! Ele gastou dinheiro alheio lá onde ele trabalha! Por uma mulher... como a senhora, ele foi capaz de cometer um crime. Escute aqui – disse a dama num tom resoluto, parando diante de Pacha –, a senhora não deve ter princípios, vive apenas para fazer mal aos outros, é isso que a senhora busca, mas é impossível acreditar que a senhora tenha descido tão baixo que não tenha sobrado nem um vestígio de humanidade! Ele tem esposa, filhos... Se for julgado e enviado para os trabalhos forçados, eu e as crianças vamos morrer de fome... Entenda isso! Entretanto, existe um meio de nos salvar, a ele e a nós, da miséria e da vergonha: se eu pagar hoje novecentos rublos, eles o deixarão em paz. Somente novecentos rublos.

– Quais novecentos rublos? – perguntou Pacha baixinho. – Eu... eu não sei de nada... Eu não peguei...

– Não estou lhe pedindo novecentos rublos... Sei que não tem dinheiro. Além do mais, não preciso do seu dinheiro. Estou pedindo outra coisa... Os homens costumam dar objetos de valor a pessoas como a senhora. Devolva-me apenas as joias que meu marido lhe deu!

– Mas, madame, o senhor não me deu nenhuma joia de presente! – disse Pacha com voz esganiçada, começando a entender.

– Então onde está o dinheiro? Ele gastou o dinheiro dele, o meu e o de outras pessoas... Onde foi parar tudo isso? Ouça-me, eu lhe peço! Eu estava irritada e lhe disse muita coisa desagradável, mas peço desculpas. A senhora deve estar me odiando, eu sei disso, mas se for capaz de ter compaixão, tente se colocar no meu lugar! Eu lhe imploro, devolva-me as coisas!

– Hmm... – disse Pacha, dando de ombros. – Eu lhe daria com prazer, mas, que Deus me castigue se estou mentindo, o senhor não me deu nada. Acredite na minha consciência. Mas a senhora tem razão – disse a cantora meio confusa –, certa vez o senhor me trouxe duas coisinhas. Por favor, eu as entrego, se desejar...

Pacha abriu uma gaveta de seu armário e tirou de lá uma pulseira dourada oca e um anel fininho com um rubi.

— Por favor! – disse ela, entregando aquelas joias à visitante.

A dama ficou vermelha e seu rosto estremeceu. Estava profundamente ofendida.

— O que a senhora está me dando? – disse ela. – Não estou pedindo esmola, estou pedindo o que não lhe pertence... Aquilo que a senhora, aproveitando-se de sua situação, arrancou do meu marido, aquele homem fraco e infeliz... Quinta-feira, quando a vi com meu marido no cais, a senhora estava cheia de broches e braceletes caros. Portanto, chega de bancar o cordeirinho! Vou lhe dizer pela última vez: a senhora vai ou não me entregar as coisas?

— Deus do céu, como a senhora é esquisita... – disse Pacha, começando a ficar ofendida. – Garanto-lhe que do seu Nikolai Petróvitch eu nunca vi nada além desse bracelete e desse anelzinho. O senhor só me trazia pastéis doces.

— Pastéis doces... – ironizou a desconhecida. – Em casa as crianças não têm o que comer, e aqui: pastéis doces. A senhora decididamente se recusa a devolver as coisas?

Não recebendo resposta, a dama sentou-se e ficou pensativa, olhando fixamente para um ponto.

— Que fazer agora? – pronunciou. – Se não conseguir os novecentos rublos, ele morrerá, e eu e as crianças também morreremos. Devo matar essa ordinária ou me ajoelhar diante dela?

A dama cobriu o rosto com o lenço e começou a soluçar.

— Eu lhe peço! – ouviu-se em meio aos seus soluços. – Foi a senhora que arruinou e destruiu meu marido, salve-o... Dele a senhora não tem pena, mas as crianças... as crianças... Que culpa têm as crianças?

Pacha viu em sua imaginação criancinhas chorando de fome na rua e ela própria começou a soluçar.

— Que posso fazer, madame? – disse ela. – A senhora está dizendo que sou infame e que arruinei Nikolai Petróvitch, mas, perante Deus, eu lhe garanto que não tive nenhum ganho pessoal com ele... No nosso coro, a única que tem um homem rico para sustentá-la é a Mótia*; eu e as demais passamos a pão e água. Nikolai Petróvitch é um senhor culto e delicado, por isso eu o recebo. Não podemos recusar.

– Estou pedindo as coisas! Entregue-me as coisas! Estou chorando... Estou me rebaixando... Fico de joelhos, se quiser! Tudo bem!

Pacha deu um grito de susto e agitou as mãos. Ela sentiu que aquela senhora pálida e bonita, que se expressava com nobreza, como no teatro, poderia realmente ficar de joelhos diante dela, exatamente por orgulho, por ser uma aristocrata, para se fazer de superior e humilhar a corista.

– Está bem, vou lhe entregar as coisas! – disse Pacha num rompante, enxugando os olhos. – Tudo bem! Só que elas não são de Nikolai Petróvitch... Eu ganhei de outros admiradores. Mas, se quiser...

Pacha abriu a gaveta superior da cômoda, tirou de lá um broche com diamantes, um colar de coral, alguns anéis e uma pulseira, e entregou tudo à dama.

– Tome, se quiser, só que do seu marido eu não tirei nenhum proveito. Aceite, fique mais rica! – continuou Pacha, ofendida pela ameaça da senhora de ficar de joelhos. – E se a senhora é nobre... se é a esposa legítima dele, devia segurá-lo ao seu lado. Ora essa! Eu não o chamei, era ele mesmo que vinha...

Através das lágrimas, a dama deu uma olhada nas coisas que a outra lhe oferecia e disse:

– Isso não é tudo... Aí não há nem quinhentos rublos.

Pacha tirou impetuosamente da cômoda mais um relógio de ouro, uma cigarreira e abotoaduras e disse, abrindo os braços:

– Não me resta mais nada... Procure, se quiser!

---

* Apelido do nome Matilda. (N.T.)

A visitante deu um suspiro, com as mãos trêmulas embrulhou tudo num lenço e, sem dizer uma palavra e sem nem mesmo fazer um aceno de cabeça, foi embora.

A porta do quarto contíguo se abriu e entrou Kolpakov. Estava pálido e balançava a cabeça nervosamente, como se tivesse acabado de beber algo muito amargo; havia lágrimas em seus olhos.

– Que coisas o senhor me trouxe? – disse Pacha, avançando na direção dele. – Quando foi isso, posso lhe perguntar?

– Coisas... Que valem... coisas? – disse Kolpakov, balançando a cabeça. – Ó meu Deus! Ela chorou na sua frente, humilhou-se...

– Estou lhe perguntando: que coisas que o senhor me trouxe? – gritou Pacha.

– Meu Deus! Ela, uma senhora decente, altiva, pura... queria até se ajoelhar diante de... diante dessa mulher vulgar! E eu a levei a isso! Eu permiti que isso acontecesse!

Ele pôs as mãos na cabeça e começou a se lamentar:

– Não, nunca me perdoarei por isso! Nunca! Afaste-se de mim... escória! – gritou ele com asco, distanciando-se de Pacha e impedindo com as mãos trêmulas que ela chegasse perto dele. – Ela queria se ajoelhar, e diante de... quem? De você! Ó meu Deus!

Ele se vestiu rapidamente e, desviando-se com nojo de Pacha, rumou para a porta e foi embora.

Pacha se deitou na cama, chorando alto. Lamentava já as coisas que, num ímpeto, ela entregara, e se sentia ultrajada. Lembrou-se de que, três anos antes, um comerciante tinha batido nela sem mais nem menos. E começou a chorar mais alto ainda.

Julho de 1886

Vanka*

Vanka Júkov, um menino de nove anos que fora entregue três meses antes como aprendiz ao sapateiro Aliákhin, não se deitou para dormir na noite da véspera de Natal. Ele esperou que os donos da casa e os outros aprendizes saíssem para o ofício das matinas, apanhou no armário do patrão um tinteiro e uma caneta com uma pena enferrujada e, estendendo na sua frente uma folha de papel amassada, pôs-se a escrever. Antes de traçar a primeira letra, olhou algumas vezes amedrontado para as portas e janelas, deu uma espiada de esguelha no ícone escuro, de cujo canto, para ambos os lados, partiam prateleiras onde ficavam as formas de madeira, e deu vários suspiros entrecortados. O papel estava estendido sobre o banco, e o menino, ajoelhado diante dele.

"Querido vovô Konstantin Makárytch!" – escreveu. "Eu estou escrevendo para você uma carta. Cumprimento o senhor pelo Natal e desejo para ti tudo do Senhor Deus. Não tenho pai, nem mãezinha, só ficou você para mim."

Vanka desviou o olhar para a janela escura, onde tremulava o reflexo de sua vela, e vivamente imaginou seu avô, Konstantin Makárytch, que trabalhava como vigia noturno para a família dos Jivariov. Era um velhinho pequenininho, magro, habitualmente ágil e inquieto, de uns 65 anos, com um rosto sempre sorridente e olhos de pinguço. Durante o dia, dormia na cozinha dos empregados ou gracejava com

---

* Diminutivo com nuance pejorativa de Vânia, apelido de Ivan. Esse tipo de diminutivo é comumente usado para denominar pessoas que têm *status* inferior na sociedade e aqueles que são órfãos de pai. (N.T.)

as cozinheiras, e à noite, enrolado num longo *tulup**, andava ao redor da casa senhorial batendo sua matraca. Atrás dele, de cabeça baixa, iam a velha cadela Kachtanka e o cachorrinho Viún**, que recebeu esse nome por ter cor escura e corpo comprido como o de uma doninha. Viún é extraordinariamente respeitoso e amigável, tem um olhar humilde, tanto para os seus como para os estranhos, mas não goza da confiança de ninguém. Por baixo do seu ar respeitoso e submisso, esconde-se uma dissimulação de jesuíta. Ninguém melhor do que ele para se aproximar sorrateiramente e dar uma mordida no pé de alguém, meter-se na despensa fria*** ou roubar uma galinha de um camponês. Já quebraram em várias ocasiões suas pernas traseiras, já o enforcaram umas duas vezes, surraram-no semanalmente até deixá-lo semimorto, mas ele sempre se safou.

Naquele momento, o avô provavelmente está sentado junto ao portão, olhando com os olhos apertados para as janelas muito vermelhas da igrejinha da aldeia, batendo com as botas de feltro no chão e gracejando com a criadagem. Sua matraca fica amarrada no cinto. Ele levanta os braços, encolhe-se de frio e, dando risadinhas senis, belisca ora a arrumadeira, ora a cozinheira.

– Que tal cheirar um rapezinho? – diz ele, oferecendo às mulheres sua tabaqueira.

As mulheres cheiram o rapé e espirram. O avô fica numa alegria indescritível, dá gargalhadas gostosas e grita:

– Arranque, congelou!

Também fazem os cachorros cheirar rapé. Kachtanka espira, vira o focinho e afasta-se ofendida. Já Viún, em sinal de respeito, não espirra e fica abanando o rabo. Faz um

---

* Capote comprido feito de pele, geralmente de ovelha, com o pelo para dentro e apertado com cinto. (N.T.)
** Viún significa "enguia" em russo. (N.T.)
*** Buraco cavado no chão, com alçapão, que se enchia de gelo e onde no verão se conservavam alimentos perecíveis. (N.T.)

tempo maravilhoso, o ar está parado, transparente e fresco. A noite está escura, mas se pode ver toda a aldeia com seus telhados brancos e rolos de fumaça saindo das chaminés, as árvores prateadas de geada, os montes de neve. O céu está alegremente salpicado de estrelas cintilantes, e a Via Láctea destaca-se com tal claridade, como se antes da festa alguém a tivesse lavado e esfregado com neve...

Vanka deu um suspiro, molhou a pena e continuou a escrever:

"E ontem eu levei uma surra. O patrão me arrastou pelo cabelo para o pátio e me surrou com uma correia porque eu estava balançando o nenezinho deles no berço e sem querer caí no sono. E na outra semana a dona me mandou limpar arenque, eu comecei pelo rabo, então ela pegou o arenque e começou a cutucar a minha cara com o focinho dele. Os aprendizes vivem rindo de mim, me mandam comprar vodca no botequim, me mandam roubar pepinos dos patrões, e o dono bate em mim com a primeira coisa que vê. E não tem nenhuma comida. De manhã dão pão, no almoço, cacha*, e de noite, pão também, e se tem chá ou *schi***, só os patrões é que devoram. Eu tenho de dormir no vestíbulo, e quando o nenezinho deles chora, eu não durmo de jeito nenhum e fico balançando o berço. Querido vovô, faz essa caridade em nome de Deus, me tira daqui, me leva para casa, para a aldeia, para mim não tem jeito de ficar aqui... Eu me curvo aos seus pés, vou rezar a Deus pelo senhor eternamente, me leva daqui, senão vou morrer..."

Vanka fez beicinho, enxugou os olhos com as mãos pretas de tinta e deu um soluço.

"Eu vou ralar tabaco para você" – continuou – "vou rezar a Deus, e se eu fizer alguma coisa errada, pode me

---

* Prato feito de cereal cozido, parecido com a nossa forma de cozinhar arroz (usa-se especialmente trigo sarraceno, mas também pode ser cevada, trigo, arroz ou, então, pode ser feito com leite e açúcar, de semolina, aveia etc.). (N.T.)

** Sopa de repolho, que pode ser fresco ou azedo. (N.T.)

surrar para valer. E se você achar que estou desocupado, juro por Cristo que vou pedir ao administrador para me dar botas para engraxar ou para me deixar ser ajudante de pastor no lugar de Fedka. Vovô querido, não posso ficar aqui de jeito nenhum, senão vou morrer. Tive vontade de fugir para a aldeia a pé, mas não tenho botas e tenho medo do gelo. E quando eu crescer, vou te dar comida e não vou deixar que ninguém te maltrate, e quando você morrer, vou rezar pelo descanso de sua alma, como faço pela minha mãezinha Pelagueia.

"E Moscou é uma cidade grande. Só tem casas grandes de gente rica, tem muitos cavalos, mas não tem ovelhas, e os cachorros não são bravos. Os meninos daqui não andam com a estrela* e não deixam eles cantarem no coro da igreja, e uma vez eu vi numa loja, na vitrine, uns anzóis, eles vendem anzóis com linha para qualquer tipo de peixe, são muito bons, tem até um que aguenta um bagre de um *pud*.** Já vi também umas lojas onde tem todo tipo de espingarda, das que os senhores usam, mas devem custar uns cem rublos cada... E nos açougues tem tetraz, perdiz, lebre, mas onde eles caçam, eles não dizem.

"Querido vovô, quando fizerem a árvore de Natal na casa dos patrões e puserem as guloseimas, pega para mim uma noz dourada e esconde no bauzinho verde. Pede para a senhorita Olga Ignátievna, diz que é para o Vanka".

Vanka suspirou convulsivamente e fitou de novo a janela. Lembrou-se de que era sempre o avô que ia ao bosque buscar um pinheirinho para os patrões, levando o neto consigo. Que época feliz! O avô grasnava, a neve dura grasnava e, vendo isso, Vanka também grasnava. Às vezes, antes de

---

* Antigamente, nas aldeias russas, as crianças saíam na véspera de Natal ou na noite de Reis com uma estrela presa na ponta de um ramo de pinheiro e cantavam diante das casas, esperando ganhar moedinhas ou doces. (N.T.)

** Medida russa de massa, equivalente a 16,3 kg. (N.T.)

derrubar a árvore, o avô fumava o cachimbo, cheirava sem pressa o rapé, zombando do pobre Vaniúchka*, que congelava... Os pinheirinhos jovens, cobertos de geada, estavam ali, imóveis, esperando para ver qual deles ia morrer. De repente, não se sabe de onde, passa uma lebre, correndo como uma flecha... O avô não consegue ficar calado e dá um grito:

– Pega, pega... Segura! Ah, diabo cotó!

O avô arrastava o pinheirinho cortado para a casa dos senhores e lá começavam a enfeitá-lo. Quem mais se empenhava era a senhorita Olga Ignátievna, a preferida de Vanka. Quando a mãe de Vanka, Pelagueia, ainda era viva e trabalhava como arrumadeira na casa dos senhores, Olga Ignátievna dava balas para o menino e, por falta do que fazer, ensinou-o a ler, escrever e contar até cem, e até a dançar quadrilha. Mas quando Pelagueia morreu, despacharam o órfão Vanka para viver com o avô, na cozinha dos empregados e, da cozinha, o mandaram para Moscou, para a casa do sapateiro Aliákhin...

"Venha, querido vovô" – continuou Vanka – "eu te imploro por Cristo Deus, me leva daqui. Tem dó de mim, órfão infeliz, porque aqui todos me surram, tenho uma fome danada e fico tão triste que nem sei dizer, choro o tempo todo. Um dia desses o dono me bateu na cabeça com uma forma de madeira com tanta força que eu caí e custei a acordar... Minha vida está perdida, vivo pior que qualquer cachorro... E ainda estou mandando cumprimentos a Aliona, ao Iegorka zarolho e ao cocheiro, e não dê minha harmônica para ninguém. Serei sempre seu neto Ivan Júkov, vovô querido, venha."

Vanka dobrou em quatro o papel escrito e enfiou no envelope comprado na véspera por um copeque. Depois de pensar um pouquinho, molhou a pena e escreveu o endereço:

Para o vovô, na aldeia.

---

* Outro diminutivo de Vânia, apelido de Ivan. (N.T.)

Depois coçou-se, pensou e acrescentou: "Para Konstantin Makárytch". Feliz porque ninguém o impedira de escrever, ele colocou o gorro e, sem mesmo atirar nas costas o casaquinho, saiu correndo para a rua, apenas de camisa...

Os caixeiros do açougue, a quem ele na véspera pedira informações, haviam dito que as cartas são colocadas nas caixas de correio, de onde elas são distribuídas para todos os cantos da terra, nas troicas* postais, guiadas por cocheiros bêbados, tilintando seus sininhos. Vanka correu até a caixa de correio mais próxima e enfiou a preciosa carta na fenda...

Embalado por doces esperanças, uma hora depois ele dormia pesadamente... Ele viu em sonhos o fogão** acima do qual estava sentado o avô, com os pés descalços pendentes, lendo a carta para as cozinheiras... Perto do fogão caminhava Viún, balançando a cauda...

Dezembro de 1886

---

* Três cavalos atrelados a algum tipo de carro (carruagem, caleche, etc.), ou, no inverno, a um trenó; esse meio de transporte alcança grande velocidade. (N.T.)

** O fogão típico russo é feito de tijolos e serve a várias finalidades: é fogão, forno, lareira, pois aquece a habitação no inverno, e ainda tem prateleiras largas por cima que servem de camas aquecidas. (N.T.)

VÉROTCHKA

Ivan Aleksêievitch Ogniov se recorda de que, naquela noite de agosto, ele abriu ruidosamente a porta de vidro e saiu para o terraço. Ele usava então uma pelerine leve e um chapéu de palha de aba larga, o mesmo que, juntamente com as botas, estava agora atirado embaixo da cama, na poeira. Levava numa das mãos um amarrado de livros e cadernos e, na outra, um bastão grosso e nodoso.

Atrás da porta, iluminando o caminho com um lampião, estava o dono da casa, Kuznetsov, um velho calvo, com uma longa barba branca, vestindo um paletó de fustão branco como a neve. O velho sorria com simpatia e curvava a cabeça.

– Adeus, meu velho! – gritou-lhe Ogniov.

Kuznetsov colocou o lampião sobre a mesinha e saiu para o terraço. Duas sombras estreitas e compridas avançaram pelos degraus em direção aos canteiros de flores, vacilaram e suas cabeças apoiaram-se nos troncos das tílias.

– Adeus e mais uma vez obrigado, meu querido! – disse Ivan Aleksêievitch. – Obrigado por sua cordialidade, seu carinho e afeto... Nunca, enquanto eu viver, vou esquecer sua hospitalidade. O senhor é bondoso, sua filha também, todos aqui são bons, alegres, cordiais... Um pessoal tão formidável, que eu nem sei o que dizer!

Em consequência do excesso de sentimentalismo e sob a influência do licor que tinham acabado de tomar, Ogniov falava com uma voz cantante de seminarista e estava tão emocionado que expressava seus sentimentos não tanto por palavras quanto por piscadelas e elevar de ombros. Kuznetsov, que também havia bebido e estava emocionado, aproximou-se do jovem e deu-lhe um beijo.

– Eu me acostumei a vocês como um perdigueiro! – continuou Ogniov. – Quase todo dia eu dava as caras aqui; dormi umas dez vezes, o licor eu bebi tanto que me dá até medo lembrar. Mas o principal, Gavriil Petróvitch, foi sua assistência e ajuda. Se não fosse o senhor, eu teria de ficar até outubro aqui, pelejando com a minha estatística. Por isso vou escrever no prefácio: "É meu dever expressar minha gratidão ao presidente do *zemstvo** da província de N., por sua amável assistência". A estatística tem um futuro brilhante! Meus profundos respeitos a Vera Gavrílovna, aos doutores e aos dois pesquisadores, bem como ao seu secretário; transmita-lhes que nunca esquecerei sua ajuda! E agora, chefe, nos abracemos e troquemos os últimos ósculos.

Ogniov beijou novamente o velho e, pesaroso, começou a descer a escada. No último degrau, ele se virou e perguntou:

– Será que nos veremos algum dia?

– Só Deus sabe! – respondeu o velho. – Talvez nunca mais.

– É verdade! Não se consegue convencer o senhor a ir a Píter** nem pagando, e eu dificilmente darei com os costados nesta província. Bem, então adeus!

– O senhor poderia deixar os livros aqui! – gritou-lhe Kuznetsov. – Por que tanta vontade de carregar peso? Eu poderia mandar alguém levar para o senhor amanhã.

Mas Ogniov já não podia ouvir e afastava-se rapidamente da casa. Sua alma, aquecida pelo vinho, estava alegre e cálida, mas também triste... Enquanto caminhava, ele pensava que muitas vezes você encontra pessoas na vida e que, infelizmente, desses encontros não fica nada mais do que recordações. Acontece vermos de relance as cegonhas no horizonte, a brisa traz seus gritos triunfais e lamentosos, mas um minuto depois, por mais que você esquadrinhe

---

* Conselho de administração local, que vigorou na Rússia de 1864 a 1918, eleito pelas classes proprietárias de terra. (N.T.)
** Maneira informal de se referir a São Petersburgo. (N.T.)

ansiosamente o azul distante, não verá nem sinal delas, e não ouvirá um som sequer – exatamente assim as pessoas, com seus rostos e falas, passam de relance por nossa vida e se afundam em nosso passado, sem deixar mais do que ínfimos vestígios de lembranças. Vivendo desde a primavera na província de N. e frequentando quase diariamente a casa dos Kuznetsov, Ivan Aleksêievitch acostumara-se ao velho, à sua filha e aos criados como se fossem sua família, e estudara nos mínimos detalhes toda a casa, a confortável varanda, as curvas das aleias, as silhuetas das árvores contra a cozinha e a casa de banho; porém, assim que ele sair agora pela cancela, tudo isso se tornará uma lembrança e para ele perderá para sempre sua importância real, e dali a um ano ou dois todas essas imagens agradáveis vão ficar embaçadas em sua consciência, no mesmo nível das coisas imaginadas e das fantasias.

"Não existe nada na vida mais caro do que as pessoas!" – pensava o comovido Ogniov, enquanto caminhava pela aleia em direção à cancela. "Não existe nada!"

O jardim estava silencioso e quente. Havia um odor de resedá, tabaco e heliotrópio, que ainda não haviam fenecido nos canteiros. Os espaços entre os arbustos e os troncos das árvores estavam cobertos por uma névoa rala, suave, que se deixava atravessar pela luz da lua, e, algo que ficara muito tempo na memória de Ogniov, flocos de neblina, semelhantes a fantasmas, iam um atrás do outro pela aleia, devagar, porém visíveis aos olhos. A lua estava bem alta no céu, sobre o jardim, e, abaixo dela, em algum ponto a leste, moviam-se algumas manchas transparentes de nuvens. Parecia que o mundo todo era composto apenas de silhuetas negras e sombras brancas a vagar, e Ogniov, observando a névoa naquela noite enluarada de agosto, pensou, talvez pela primeira vez na vida, que estava vendo não a natureza, mas sim uma decoração, onde pirotécnicos inexperientes escondidos atrás dos arbustos, no intuito de iluminar o jardim com fogos de bengala brancos, junto com a luz tivessem soltado no ar fumaça branca.

Quando Ogniov se aproximava da cancela do jardim, destacou-se da cerca baixa uma silhueta escura, vindo ao seu encontro:

– Vera Gavrílovna! – alegrou-se ele. – A senhorita está aqui? E eu que a procurei, procurei, queria me despedir... Já estou indo embora... Adeus!

– Mas tão cedo? São onze horas ainda.

– Não, está na hora! Tenho de caminhar cinco verstás* e ainda tenho de fazer as malas. Preciso acordar cedo amanhã...

Diante de Ogniov estava a filha de Kuznetsov, Vera, moça de 21 anos, geralmente triste, despreocupada no vestir e interessante. As moças que sonham muito, que passam os dias deitadas preguiçosamente e leem tudo o que lhes cai nas mãos, que ficam entediadas e tristes, em geral são relaxadas na maneira de se vestir. Àquelas a quem a natureza presenteou com bom gosto e instinto de beleza, esse leve relaxamento nas roupas confere um encanto especial. Pelo menos, ao se recordar mais tarde da graciosa Vérotchka, Ogniov não podia imaginá-la sem a blusa folgada que, ajustada na cintura em pregas profundas, ainda assim não tocava o seu corpo; nem sem a madeixa que caía sobre a testa, escapando dos cabelos levantados, e nem sem aquele xale tecido à mão, com pompons nas beiradas, que à noite, como uma bandeira num dia sem vento, pendia melancolicamente dos ombros da moça e que, durante o dia, ficava jogado no vestíbulo, junto das botas masculinas, ou sobre o baú da sala de jantar onde, sem nenhuma cerimônia, dormia o velho gato. Esse xale e as pregas da blusa transmitiam um ar de liberdade preguiçosa, de vida caseira, de bem-estar. É possível que, pelo fato de que Vera agradava a Ogniov, em cada botão seu, em cada babadinho, ele conseguia enxergar algo morno, aconchegante, ingênuo, algo bom e poético que falta às mulheres falsas, frias e sem sentimento de beleza.

---

* Antiga medida russa para distâncias, equivalente a 1,067 km. (N.T.)

Vérotchka era bem-feita de corpo, tinha um perfil regular e belos cabelos ondulados. Ogniov, que tinha visto poucas mulheres na vida, achava-a uma beldade.

– Estou partindo! – disse ele, despedindo-se dela perto da cancela. – Desculpe alguma coisa! Obrigado por tudo!

Com a mesma voz cantante de seminarista com que ele conversara com o velho e igualmente piscando e levantando os ombros, ele começou a agradecer a Vera pela hospitalidade, carinho e cordialidade.

– Eu escrevi à minha mãe sobre vocês em todas as minhas cartas – disse ele. – Se todos fossem como você e o seu pai, a vida neste mundo seria uma maravilha. Todos aqui são formidáveis. São gente simples, amável, sincera.

– Para onde o senhor vai agora? – perguntou Vera.

– Agora vou para a casa da minha mãe em Oriol; vou ficar lá umas duas semanas e depois vou para Píter trabalhar.

– E depois?

– Depois? Vou passar o inverno todo trabalhando e, na primavera, novamente vou para alguma província coletar material. Bem, seja feliz, viva cem anos... Desculpe alguma coisa. Não nos veremos mais.

Ogniov inclinou-se e beijou a mão de Vérotchka. Depois, com emoção silenciosa, ajeitou a pelerine, consertou o amarrado de livros, ficou um instante calado e disse:

– Como está espessa a névoa!

– É verdade. O senhor não está esquecendo nada?

– O que poderia ser? Acho que não...

Por alguns segundos Ogniov ficou parado, em silêncio; depois, um pouco sem jeito, virou-se para a cancela e saiu do jardim.

– Espere, vou acompanhá-lo até o nosso bosque – disse Vera, seguindo-o.

Eles caminharam pela estrada. Agora as árvores já não encobriam a amplidão e era possível ver o céu e o que havia ao longe. Como se estivesse coberta por um véu, a natureza se escondia atrás da tênue fumaça translúcida, através da qual alegremente transparecia sua beleza; a bruma mais espessa e branca se acomodava de forma irregular junto aos montes de feno e aos arbustos e vagava em grandes farrapos pela estrada, ficando bem rente à terra, como se não quisesse encobrir a vastidão. Através da névoa, via-se toda a estrada até o bosque, com valas escuras nas laterais, e também as pequenas moitas que cresciam nas valas e impediam os farrapos de bruma de vagarem por ali. A meia verstá da cancela avistava-se a faixa negra do bosque dos Kuznetsov.

"Para que ela veio comigo? Agora será necessário acompanhá-la de volta!" – pensou Ogniov. Contudo, depois de dar uma olhada no perfil de Vera, ele sorriu, carinhoso, e disse:

– Não dá vontade de partir num tempo lindo como este! Está uma verdadeira noite de romance, com luar, silêncio e todos os ingredientes esperados. Sabe de uma coisa, Vera Gavrílovna? Vivo neste mundo há já 29 anos, mas na minha vida não houve um romance sequer. Em toda a vida, nem uma história de amor, de modo que encontros amorosos, aleias, suspiros e beijos, eu conheço só de ouvir falar. Isso não é normal! Se você está na cidade, no seu quarto de pensão, não nota essa lacuna, mas aqui, ao ar livre, ela se faz sentir fortemente... Dá uma certa revolta!

– Mas por que isso lhe acontece?

– Não sei. Talvez durante a vida toda eu não tenha tido tempo, ou pode ser que simplesmente não tivesse oportunidade de conhecer mulheres que... Em geral, conheço pouca gente, pois não vou a parte alguma.

Os jovens caminharam em silêncio uns trinta metros. Ogniov olhava para a cabeça descoberta e para o xale de Vérotchka, e na sua mente ressuscitavam, um após o outro, os dias da primavera e do verão; foi uma época em que, longe do seu cinzento quarto de pensão em Petersburgo, desfrutando do carinho de pessoas boas, junto à natureza e com seu trabalho preferido, ele não tinha tempo de notar que a aurora matutina era substituída pelo crepúsculo, nem como, um após o outro, profetizando o fim do verão, os pássaros paravam de cantar: primeiro os rouxinóis, depois a codorniz, e um pouco mais tarde o codornizão... O tempo voava e nem se notava, o que significa que a vida era boa e fácil... Começou a recordar em voz alta como ele, que não era rico nem acostumado a agitação e pessoas, viera no final de abril para a província de N. esperando encontrar tédio, solidão e indiferença pela estatística, a qual, na sua opinião, ocupava agora o lugar de maior destaque entre as ciências. Ao chegar à cidadezinha de N., numa manhã de abril, hospedou-se na estalagem do velho-crente* Riabúkhin, onde, por uma diária de vinte copeques, deram-lhe um quarto limpo e claro, com a condição de que fumasse somente na rua. Após descansar, tendo obtido a informação de quem era o presidente do *zemstvo* da província, ele imediatamente foi a pé para a casa de Gavriil Petróvitch. Caminhou por quatro verstás de lindos campos e bosques jovens. Sob as nuvens, enchendo os céus de sons argênteos, tremiam as cotovias, e sobre os campos lavrados verdejantes, batendo as asas com segurança e imponência, voavam a toda velocidade as gralhas.

– Meu Deus – admirou-se então Ogniov –, será possível que aqui se respire sempre esse ar, ou esse cheiro é somente hoje, em honra da minha chegada?

Esperando uma recepção seca e oficial, ele entrou na casa dos Kuznetsov com timidez, olhando de soslaio e cofiando a barbicha, envergonhado. A princípio, o velho franziu a testa, sem entender por que esse jovem e sua estatística poderiam necessitar do *zemstvo*, mas quando Og-

---

* Os velhos-crentes são cristãos ortodoxos que não aceitaram as reformas modernizantes da igreja oficial da Rússia, realizadas em 1667 pelo patriarca Nikon, e continuaram com os ritos antigos e costumes rígidos. (N.T.)

niov explicou o que era material estatístico e onde ele era coletado, Gavriil Petróvitch animou-se, começou a sorrir e a olhar com curiosidade infantil os cadernos que o outro trouxera... Naquela mesma noite, Ivan Aleksêievitch já estava sentado à mesa dos Kuznetsov jantando e logo ficou embriagado com o licor forte. Vendo os rostos tranquilos e os movimentos preguiçosos de seus novos conhecidos, sentiu em todo o seu corpo uma modorra doce e sonolenta, uma vontade de cochilar, espreguiçar e sorrir. Os novos conhecidos o examinaram com benevolência e perguntaram se seus pais eram vivos, quanto ele ganhava por mês e se ia muito ao teatro...

Ogniov recordou suas excursões aos distritos, os piqueniques, as pescarias, a viagem com toda a sociedade local ao mosteiro feminino para ver a superiora Marfa, que presenteou cada visitante com um porta-moedas bordado de miçangas; lembrou-se das acaloradas e infindáveis discussões, tipicamente russas, em que os debatedores, atirando perdigotos uns nos outros, dando murros na mesa e mudando de assunto a todo instante, depois de duas ou três horas de polêmica caíam na risada:

– Só Deus sabe por que nós começamos essa discussão! Começamos indagando pela saúde e terminamos dando pêsames!

– Lembra-se de quando eu, a senhorita e o doutor fomos a cavalo a Chestovo? – perguntou Ivan Aleksêievitch a Vera quando eles se aproximavam do bosque. – Naquele dia nós encontramos um pobre bobo. Eu lhe dei cinco copeques, ele se persignou três vezes e atirou a moeda no campo de centeio. Meu Deus, quantas lembranças vou levar comigo! Se fosse possível juntá-las todas, compactá-las, daria uma boa barrinha de ouro! Não compreendo por que pessoas inteligentes e sensíveis se amontoam nas capitais e não vêm para cá. Será que na Avenida Névski* e nos prédios

---

* A principal avenida no centro de São Petersburgo. (N.T.)

grandes e úmidos há mais espaço e verdade do que aqui? Digo com sinceridade, os prédios com quartos mobiliados, como o meu, recheados de cima a baixo de artistas, cientistas e jornalistas, sempre me pareceram um preconceito.

A uns vinte passos do bosque, atravessando a estrada, havia uma pontezinha com colunas baixas nos cantos, que os Kuznetsov, nos seus passeios, usavam como uma pequena estação de parada. Dali, quem quisesse podia provocar o eco da mata, e dali via-se a estrada desaparecer na escuridão da clareira.

— Bem, aí está a ponte! — disse Ogniov. — Daqui a senhorita deve voltar...

Vera parou e tomou fôlego.

— Vamos nos sentar um pouco — disse ela, descansando sobre uma coluna. — Antes da partida, durante as despedidas, geralmente todos se sentam.

Ogniov ajeitou-se perto dela, sobre seu amarrado de livros, e continuou a falar. Ela ofegava devido à caminhada e olhava não para Ogniov, mas para outro lado, de modo que ele não podia ver o seu rosto.

— De repente nós nos encontramos daqui a uns dez anos — disse ele. — Como vamos estar então? A senhorita já será uma respeitável mãe de família e eu, o autor de alguma respeitável e totalmente inútil coletânea de artigos sobre estatística, grossa, como quarenta mil outras coletâneas. Vamos nos encontrar e recordar o passado... Agora nós sentimos o presente, ele nos preenche e nos preocupa, mas no futuro, quando nos encontrarmos, já não vamos nos lembrar nem o dia, nem o mês, nem mesmo o ano em que nos vimos pela última vez aqui nesta ponte. A senhorita com certeza vai estar diferente... Então, a senhorita vai ficar diferente?

— O quê? — perguntou ela.

— Eu estava lhe perguntando...

— Desculpe, eu não escutei o que o senhor estava dizendo.

Só então Ogniov notou a mudança ocorrida em Vera. Ela estava pálida, ofegante, o tremor de sua respiração transmitia-se às mãos, aos lábios, à cabeça, e do seu cabelo levantado caía sobre a testa não apenas um cacho, como habitualmente, mas dois... Pelo visto, ela evitava olhá-lo diretamente nos olhos e, tentando disfarçar a emoção, ora ajeitava a gola, como se ela estivesse machucando o seu pescoço, ora puxava seu xale vermelho de um ombro para o outro...

– Parece que a senhorita está com frio – disse Ogniov. – Ficar sentado na neblina não faz muito bem à saúde. Deixe-me acompanhá-la *nach Hause*.*

Vera continuava calada.

– O que há com a senhorita? – sorriu Ivan Aleksêievitch. – Está calada, não responde às perguntas. Está indisposta ou zangada? Hein?

Vera comprimiu fortemente com a palma da mão o lado do rosto que estava voltado para Ogniov e logo depois bruscamente a retirou.

– É uma situação terrível... – sussurrou ela com uma expressão de intenso sofrimento. – É terrível!

– O que há de terrível? – perguntou Ogniov, erguendo os ombros e não escondendo seu espanto. – Que aconteceu?

Ainda respirando com dificuldade e com tremor nos ombros, Vera ficou de costas para ele, durante meio minuto olhou para o céu e disse:

– Preciso conversar com o senhor, Ivan Aleksêievitch...

– Estou escutando.

– Talvez o senhor ache estranho... O senhor vai se admirar, mas pouco me importa...

Elevando os ombros novamente, Ogniov preparou-se para ouvir.

– É o seguinte – começou Vérotchka, inclinando a cabeça e revirando nos dedos um pompom do xale. – Sabe, o

---

* "Para casa" em alemão. (N.A.)

que eu queria lhe dizer é... O senhor vai achar estranho e... tolo, mas eu... eu não posso mais.

A fala de Vera tornou-se um balbucio confuso e de repente explodiu num choro. A moça cobriu o rosto com o xale, inclinou-se ainda mais e chorou desesperadamente. Ivan Aleksêievitch gaguejou algo, e, embaraçado e surpreso, sem saber o que dizer ou fazer, olhou desanimado ao seu redor. Ele mesmo começou a sentir uma coceira nos olhos, devido à falta de costume de lidar com choro e lágrimas.

– E essa agora! – balbuciou ele com ar perdido. – Vera Gavrílovna, por que isso agora, eu pergunto. Minha querida, a senhorita está... doente? Ou alguém a maltratou? Me conte, talvez eu possa ajudá-la...

Na tentativa de consolá-la, ele se permitiu retirar com cuidado as mãos dela do rosto. Ela lhe sorriu entre lágrimas e disse:

– Eu... eu o amo!

Essas palavras, singelas e comuns, foram ditas em simples linguagem humana, mas Ogniov, fortemente constrangido, deu as costas a Vera, levantou-se e, depois do constrangimento, seguiu-se o susto.

A tristeza, o calor e o sentimentalismo que as despedidas e a bebida haviam lhe trazido sumiram de repente, dando lugar a um incômodo sentimento de mal-estar. Era como se sua alma tivesse virado de ponta-cabeça. Ele espiou Vera com o canto do olho, e agora, depois de lhe declarar seu amor, ela se despira da inocência que tanto enfeita as mulheres; ele a achou mais baixa, simples e obscura.

"Que está acontecendo?" – pensava ele aterrorizado. "Eu a amo... ou não? Que problema!"

Depois que o mais importante e difícil finalmente fora dito, Vera já respirava livremente, com facilidade. Levantou-se também e, olhando Ivan Aleksêievitch diretamente nos olhos, começou a falar depressa, sem controle e com ardor.

Como uma pessoa que levou um susto repentino e não consegue depois lembrar a ordem em que se deram os sons da catástrofe que a deixou abalada, Ogniov não se lembrava das palavras e frases de Vera. Recordava-se apenas do conteúdo da sua fala, dela mesma e da sensação produzida pelo que ela havia dito. Lembrava-se de sua voz, que parecia estrangulada e rouca de emoção, e da música incomum e cheia de paixão de sua entonação. Chorando e rindo, com lágrimas cintilando nos cílios, ela lhe dizia que, desde os primeiros dias em que se conheceram, ele a fascinara por sua originalidade, seu brilhantismo, seus olhos bondosos e inteligentes, suas tarefas e objetivos de vida, e que ela se enamorou dele profundamente, com paixão e loucura. Disse que no verão, quando ela entrava na casa, vindo do jardim, e via no vestíbulo sua pelerine, ou quando ouvia de longe sua voz, sentia um frio no coração e um pressentimento de felicidade; até anedotas tolas dele a faziam dar gargalhadas; em cada cifra dos seus cadernos ela via algo invulgar, inteligente e grandioso; seu bastão nodoso era para ela mais belo do que as árvores.

O bosque, os flocos de neblina, as valas escuras ao lado da estrada, tudo estava quieto, como se a ouvissem, mas na alma de Ogniov acontecera algo estranho e mau... Enquanto lhe declarava seu amor, Vera estava cativantemente bela e falava bonito, com paixão, mas o que ele experimentava não era prazer, não era alegria de viver, como gostaria, e sim um sentimento de compaixão por ela, uma dor e pena porque, por causa dele, uma pessoa boa estava sofrendo. Só Deus sabe se nesse momento falou mais alto nele a racionalidade livresca, ou se manifestou-se o hábito incoercível de querer ser objetivo, que com tanta frequência atrapalha a vida das pessoas, mas o fato é que a exaltação e o sofrimento de Vera lhe pareceram melosos, pouco sérios. Ao mesmo tempo, o sentimento se rebelava dentro dele e lhe sussurrava que tudo que ele estava vendo e ouvindo naquele momento, do ponto de vista da natureza e da felicidade pessoal, era mais importante do que quaisquer estatísticas, livros, verdades... E ele enraivecia e se culpava, embora não entendesse em que consistia a sua culpa.

Para o coroamento de sua situação embaraçosa, ele definitivamente não sabia o que dizer, e era indispensável falar alguma coisa. Pronunciar na cara "eu não a amo" estava além das suas forças, e dizer "sim" ele não podia porque, por mais que procurasse, não encontrou no seu coração nem uma chispazinha...

Ele ficou calado, enquanto ela dizia que para ela não existia felicidade maior do que vê-lo, segui-lo, naquele momento mesmo, aonde ele quisesse ir, ser sua esposa e ajudante, e que, se ele a abandonasse, ela morreria de tristeza...

– Eu não posso mais ficar aqui! – disse ela, torcendo as mãos. – Estou farta da casa, do bosque, do ar. Não suporto a calma constante, a vida sem objetivos, não suporto nossas pessoas sem cor, apagadas, tão parecidas umas com as outras como dois pingos d'água! São todas cordiais e afáveis porque estão de barriga cheia, não sofrem, não lutam... Eu quero ir exatamente para aqueles prédios úmidos, lá onde as pessoas sofrem, atormentadas pelo trabalho e pelas necessidades...

Isso também pareceu a Ogniov meloso e pouco sério. Quando Vera terminou, ele continuou sem saber o que dizer, mas ficar calado não era possível, e ele balbuciou:

– Eu, Vera Gavrílovna, estou muito grato à senhorita, embora sinta que nada fiz para merecer tal... sentimento... de sua parte... Em segundo lugar, como um homem honesto, devo lhe dizer que... a felicidade se baseia no equilíbrio, ou seja, quando ambos os lados... amam igualmente...

Porém, no mesmo instante Ogniov se envergonhou de seus balbucios e se calou. Sentiu que durante esse tempo ele estava com uma cara idiota, culpada, sem graça, tensa e forçada... Vera, com toda a certeza, soube ler a verdade no rosto dele, porque ficou séria de repente, empalideceu e baixou a cabeça.

– A senhorita me perdoe – balbuciou Ogniov, não suportando o silêncio. – Eu a respeito tanto que é até doloroso para mim!

Vera lhe deu as costas e bruscamente se dirigiu com rapidez para casa. Ogniov a seguiu.

– Não, não é preciso! – disse Vera, fazendo-lhe um sinal com a mão. – Não venha, eu vou sozinha...

– Não, de qualquer modo... não posso deixar de acompanhá-la...

Qualquer coisa que dissesse, tudo, até a mínima palavra, parecia a Ogniov abominável e sem graça. A cada passo crescia nele o sentimento de culpa. Ele se enfurecia, fechava os punhos e amaldiçoava sua frieza e inabilidade para lidar com as mulheres. Na tentativa de se estimular, ele olhava para a silhueta bonita de Vérotchka, para a sua bela trança, para as pegadas que seus pezinhos deixavam no pó da estrada, recordava suas palavras e suas lágrimas, mas tudo isso somente o deixava comovido, sem excitar seu coração. "Ah, mas não se pode amar à força!" – tentava se convencer, ao mesmo tempo em que pensava: "Mas quando será que vou amar sem ser à força? Eu já estou chegando aos trinta! Nunca encontrei uma mulher melhor do que Vera, nem vou encontrar... Oh, velhice de cão! Velhice aos trinta anos!"

Vera caminhava na frente dele, cada vez mais depressa, sem olhar para trás e de cabeça baixa. Ele tinha a impressão de que, devido à mágoa, ela estava com os ombros mais estreitos e o rosto encovado..."Faço ideia do que está acontecendo agora no espírito dela!" – pensava ele, olhando-a de costas. – "Provavelmente quer morrer de dor e vergonha! Ó Deus, quanta vida, poesia e sentido há em tudo isso, que faria comover até uma pedra, e eu fui idiota e desajeitado!"

Junto à cancela, Vera lançou-lhe uma olhada rápida, curvou-se para frente, enrolou-se no xale e caminhou apressadamente pela aleia.

Ivan Aleksêievitch ficou sozinho. Voltou para o bosque devagar, parando a toda hora e olhando para a cancela, e toda a sua figura era a expressão de que ele não estava acreditando em si mesmo. Procurava as pegadas de Vérotchka na estrada e não acreditava que a moça com quem ele tanto simpatizava acabara de lhe declarar o seu amor e que ele, de modo tão desajeitado e tosco, "a recusara"! Pela primeira vez na vida, foi obrigado a se convencer por experiência própria de que uma pessoa depende muito pouco de sua vontade, e experimentou em si mesmo estar na situação de uma pessoa decente e afetuosa que, contra seu desejo, causou ao seu próximo sofrimentos cruéis e imerecidos.

Ele estava com a consciência pesada e, quando Vera sumiu da sua vista, pareceu-lhe que tinha perdido algo muito caro e próximo que ele não voltaria a encontrar. Sentia que, com Vera, escapara dele uma parte de sua juventude e que os momentos que ele passara de maneira tão infecunda não se repetiriam mais.

Chegando à ponte, ele parou e ficou pensando. Queria encontrar a causa de sua estranha frieza. Que essa causa não estava fora, e sim dentro dele, estava claro. Reconhecia sinceramente para si mesmo que essa não era uma frieza racional, da qual tão frequentemente se gabam pessoas inteligentes; não era uma frieza de tolo egoísta, mas simplesmente a impotência da alma, a incapacidade de assimilar profundamente a beleza; uma velhice precoce, adquirida por meio da educação, da luta desordenada por um pedaço de pão, da vida sem família num quarto alugado.

Da pontezinha ele caminhou lentamente, como que contra a vontade, para o bosque. Lá, na negra escuridão, onde aqui e ali se destacavam nítidas manchas de luar, onde ele não percebia nada além dos próprios pensamentos, sentiu um desejo terrível de recuperar o que havia perdido.

Ivan Aleksêievitch se recorda de que retornou à casa. Encorajando-se com suas lembranças, esforçando-se para desenhar Vera na imaginação, ele caminhava rapidamente em direção ao jardim. Na estrada e no jardim já não havia bruma, a lua branca olhava do céu, como se tivesse sido lavada, e apenas no oriente havia nuvens sombrias... Ogniov se recorda de seus passos cautelosos, das janelas escuras, do espesso aroma de heliotrópio e resedá. Karô, um cachorro que ele conhecia, abanou o rabo amistosamente, aproximou-se e cheirou sua mão... Foi o único ser vivo que o viu dar duas voltas em torno da casa, parar embaixo da janela de Vera e depois, fazendo um gesto de desistência com a mão, dar um suspiro profundo e deixar o jardim.

Uma hora mais tarde, ele estava na cidadezinha e, exausto, quebrado, apoiando o tronco e o rosto febril no portão da estalagem, batia com a alça de ferro. Em algum lugar da cidade, um cachorro soltava uns latidos sonolentos e, como que em resposta às suas batidas, perto da igreja alguém golpeou uma placa de metal.

– Fica perambulando à noite... – resmungou o velho-crente, dono da estalagem, vestido com uma camisola comprida que parecia de mulher, enquanto abria para ele o portão. – Em vez de perambular, fazia melhor se rezasse a Deus.

Ivan Aleksêievitch entrou no seu quarto, caiu na cama e durante muito tempo ficou olhando para o fogo; depois sacudiu a cabeça e foi fazer as malas...

Fevereiro de 1887

ZÍNOTCHKA

Um grupo de caçadores pernoitava na casa rústica de um camponês, dormindo sobre o feno recém-ceifado. Através das janelas via-se a lua, e lá fora alguém arranhava uma sanfona. O feno exalava um cheiro doce e levemente excitante. Os caçadores conversavam sobre cães, mulheres, o primeiro amor e sobre galinholas. Quando todas as senhoritas conhecidas já tinham sido suficientemente dissecadas e centenas de anedotas já haviam sido contadas, o mais gordo dos caçadores, que na penumbra parecia um monte de feno e que falava com uma voz de baixo, como um oficial superior, bocejou alto e disse:

– Não é grande vantagem ser amado: as moças foram criadas exatamente para amar pessoas como nós. Mas algum dos senhores já foi odiado, odiado com ardor, furiosamente? Algum dos senhores já observou os deleites do ódio? Hein?

Não houve resposta.

– Nenhum dos senhores? – perguntou a voz grave de oficial superior. – Pois eu fui odiado, fui odiado por uma moça bem bonitinha, e em mim mesmo pude estudar os sintomas do primeiro ódio. O primeiro, senhores, porque aquilo foi alguma coisa exatamente oposta ao primeiro amor. Pensando bem, o que vou contar se passou quando eu ainda não entendia nem de amor nem de ódio. Eu tinha nessa época uns oito anos, mas isso não tem nenhuma importância; no caso, senhores, o importante não é ele, e sim *ela*. Bem, senhores, peço a sua atenção. Numa bela tarde de verão, antes do pôr do sol, eu e minha governanta Zínotchka, uma criatura muito meiga e poética, recém-saída do colégio, estávamos sentados no quarto das crianças e ela me dava aula. Zínotchka olhava distraída pela janela e dizia:

– Bem, nós inspiramos oxigênio. Agora me diga, Pétia, o que nós expiramos?

– Gás carbônico – respondi, olhando também para a mesma janela.

– Ótimo – concordou Zínotchka. – Já as plantas fazem o contrário: inspiram o gás carbônico e expiram o oxigênio. Existe gás carbônico também na água mineral gasosa e na fumaça do samovar... É um gás muito nocivo. Perto de Nápoles existe um lugar chamado Caverna dos Cães, onde há muito gás carbônico; o cachorro que entrar lá morre sufocado.

Essa infeliz Caverna dos Cães, perto de Nápoles, é o máximo de sabedoria em química a que chega qualquer governanta; nenhuma delas se aventura a ir além disso. Zínotchka sempre defendia a utilidade das ciências naturais, mas sabia pouca coisa de química além dessa caverna.

Bom, ela me mandou repetir. Eu repeti. Ela perguntou o que é horizonte. Eu respondi. Ao mesmo tempo, lá fora, enquanto nós mastigávamos caverna e horizonte, meu pai se preparava para ir caçar. Os cachorros ganiam, os cavalos, já atrelados, pisavam, ora com uma pata, ora com a outra, fazendo gracinha para os cocheiros, e os criados enchiam a carroça com saquinhos e todo tipo de coisas. Ao lado da carroça estava parado o breque, no qual subiam minha mãe e minhas irmãs, que iam a um aniversário na casa dos Ivanítski. Em casa ficaríamos somente eu, Zínotchka e meu irmão mais velho, estudante universitário, que estava com dor de dente. Podem imaginar minha inveja e meu tédio?

– E então, o que nós inspiramos? – perguntou Zínotchka, olhando pela janela.

– Oxigênio.

– Certo, e horizonte é o nome do lugar onde nos parece que a terra se encontra com o céu...

Nesse momento a carroça começou a andar e o breque foi atrás... Vi Zínotchka tirar do bolso um bilhetinho, amassá-lo febrilmente e apertá-lo contra a têmpora, depois ficou vermelha e olhou para o relógio.

– Então, guarde na memória – disse ela –, perto de Nápoles existe a Caverna dos Cães – ela tornou a olhar para o relógio e continuou: – onde nos parece que a terra se encontra com o céu...

A pobrezinha pôs-se a caminhar pelo quarto preocupadíssima e mais uma vez olhou para o relógio. Faltava ainda mais de meia hora para nossa aula terminar.

– Agora, aritmética – disse ela, respirando pesadamente e folheando o livro de problemas com mão trêmula. – Vamos, resolva o problema 325, eu... volto já...

Ela saiu. Ouvi-a descer correndo a escada, depois vi de relance, pela janela, o seu vestido azul-claro passando pelo pátio e desaparecendo pela cancela do jardim. A rapidez dos seus movimentos, a cor das faces e sua preocupação me deixaram muito intrigado. Aonde ela ia naquela correria e para quê? Eu, que era muito esperto para a minha idade, logo raciocinei e entendi tudo: aproveitando a ausência dos meus pais, que eram muito severos, ela tinha corrido até o jardim para colher framboesas, ou então queria apanhar algumas cerejas para ela! Se é assim, com os diabos, eu também vou comer cerejas! Larguei o livro e corri para o jardim. Fui correndo até as cerejeiras, mas ela já não estava mais lá. Deixando para trás os pés de framboesa e de groselha e a cabana do vigia, Zina ia em direção ao açude, passando pela horta. Estava pálida e estremecia ao menor ruído. Fui de mansinho atrás dela e ouçam o que eu vi, senhores. À beira do açude, entre dois troncos de velhos salgueiros, estava de pé meu irmão mais velho, Sacha.* Por sua cara, não parecia que estivesse sofrendo de dor de dente. Ele olhou para Zínotchka, que ia ao seu encontro, e toda a sua figura se iluminou com uma expressão de felicidade, como se o sol o aquecesse. Já Zínotchka, com um jeito de

---
* Apelido de Aleksandr. (N.T.)

que estava sendo levada à força para a Caverna dos Cães para inspirar gás carbônico, andava devagar, respirando com dificuldade e com a cabeça para trás... Tudo indicava que esse era o primeiro encontro a que ela ia em sua vida. Aí, ela se aproxima dele... Ficam se olhando meio minuto, calados, como se não pudessem acreditar no que viam. Em seguida, uma força misteriosa dá um empurrão nas costas de Zínotchka, ela coloca as mãos nos ombros de Sacha e inclina a cabeça para o seu colete. Sacha dá uma risada, balbucia algo sem sentido e, com a falta de jeito de um homem muito apaixonado, coloca as palmas das mãos na *fuçonomia* de Zínotchka. E, senhores, fazia um tempo magnífico... A colina, atrás da qual o sol estava se escondendo, os dois salgueiros, as margens verdes, o céu – tudo isso, juntamente com Zínotchka e Sacha, se refletia na água do açude. Um silêncio! Podem imaginar? Sobre os juncos esvoaçavam milhões de borboletas douradas com longos bigodinhos, e atrás do jardim estavam tangendo o gado. Enfim, era um quadro que merecia ser pintado.

Do que havia visto, entendi apenas que Sacha tinha beijado Zínotchka. Isso era indecente. Ah, se mamãe ficasse sabendo, eles iam ver! Por alguma razão, senti que minha situação era vergonhosa e voltei para o quarto, sem esperar o fim do encontro amoroso. Depois, fiquei sentado olhando para o livro de problemas, pensando e raciocinando. Um sorriso triunfante estampava-se na minha cara. Por um lado, é agradável ser proprietário de um segredo alheio; por outro, é também extremamente agradável saber que autoridades, como Sacha e Zínotchka, a qualquer momento podem ser acusadas por mim de não saberem se comportar socialmente. Agora eles estão em meu poder, e a tranquilidade deles vai depender da minha generosidade. Eu ainda hei de lhes mostrar!

À noite, quando me deitei, Zínotchka, como de costume, foi até meu quarto para ver se eu já estava dormindo, se havia tirado a roupa e rezado a Deus. Olhei para sua carinha bonita e feliz e dei uma risadinha. Não cabia em mim por causa daquele segredo, que ansiava por sair. Eu precisava dar uma indireta e ficar me deliciando com o efeito.

— Eu sei de tudo! — disse eu rindo. — Hi-hi!

— Que que você sabe?

— Hi-hi! Eu vi, lá junto dos salgueiros, você e Sacha se beijando. Eu fui atrás e vi tudo...

Zínotchka tremeu, ficou completamente vermelha e, atordoada com a revelação, desabou na cadeira, onde havia um copo com água e um castiçal.

— Eu vi vocês se beijarem... — repeti, com uma risadinha, deleitando-me com seu embaraço. — Há-há! Vou contar para a mamãe.

A medrosa da Zínotchka olhou fixamente para mim e, convencida de que eu realmente sabia de tudo, agarrou minha mão e balbuciou com voz trêmula:

— Pétia, isso é uma baixeza... Eu lhe suplico, pelo amor de Deus... Seja um homem, não conte a ninguém... Pessoas decentes não espionam... É muito baixo... Eu lhe imploro...

A pobrezinha tinha um medo terrível da minha mãe, senhora virtuosa e severa — isso para começar; em segundo lugar, meu focinho sorridente não podia deixar de manchar seu primeiro amor, puro e poético, por isso os senhores podem imaginar como ela estava se sentindo. Graças a mim ela não dormiu a noite toda e de manhã, na hora do chá, apareceu com enormes olheiras azuis... Quando me encontrei com Sacha, depois do chá, não consegui esperar para dar uma risadinha e bravatear:

— Eu sei de tudo! Eu vi você beijando a *mademoiselle* Zina ontem.

Sacha olhou para mim e disse:

— Você é um bobo.

Ele não era tão medroso quanto Zínotchka, por isso minhas palavras não causaram efeito. Isso me espicaçou ainda mais. Se Sacha não ficou com medo, evidentemente era porque não acreditava que eu tivesse visto algo e que soubesse de tudo; mas espere só, eu lhe mostro!

Antes do almoço, durante a aula, Zínotchka evitava olhar para mim e gaguejava. Em vez de tentar me assustar, ela ficava me bajulando de todas as formas, me dava dez em tudo e não se queixava ao meu pai das minhas travessuras. Como eu era muito esperto para a minha idade, explorei seu segredo o quanto quis: não estudava as matérias, andava pela sala de aula plantando bananeira, dizia desaforos. Enfim, se eu tivesse continuado até hoje daquele jeito, seria agora um tremendo chantagista. Porém, uma semana se passou. Possuir um segredo alheio me incitava e me torturava, como se houvesse um espinho na minha alma. Queria a todo custo tagarelar o que eu sabia e me deliciar com o efeito. E certo dia, durante um almoço em que havia muitos convidados, dei uma risadinha muito idiota, olhei com malícia para Zínotchka e disse:

– Eu sei... Hi-hi! Eu vi...
– Você sabe o quê? – perguntou minha mãe.

Olhei com malícia redobrada para Zínotchka e Sacha. Os senhores precisavam ver como a moça ficou vermelha e como Sacha olhou furioso para mim. Mordi minha língua e não continuei. Zínotchka foi ficando pálida, trancou a boca e não comeu mais nada. Naquele mesmo dia, na aula da tarde, eu notei no rosto de Zínotchka uma mudança radical. Ela parecia mais severa, fria, como se fosse de mármore, e seus olhos me olhavam de modo estranho, diretamente fitavam no meu rosto. Palavra de honra: nem nos galgos perseguindo um lobo eu vi olhos tão fulminantes, tão destruidores! Entendi perfeitamente sua expressão quando ela, no meio da aula, soltou por entre dentes:

– Odeio! Oh, se o senhor soubesse, criatura nojenta e detestável, como eu o odeio, como tenho horror de sua cabeça raspada, de suas vulgares orelhas de abano!

Mas, de repente, ela se assustou e disse:

— Não estou falando do senhor, estou ensaiando um papel...

Depois, senhores, à noite eu vi que ela se aproximou de minha cama e ficou me olhando durante muito tempo. Ela me odiava intensamente, mas não podia viver sem mim. A visão de minha cara odiosa tornou-se para ela uma necessidade.

Eu me lembro: isso foi numa noite maravilhosa de verão... Havia cheiro de feno, estava silencioso e tudo o mais. A lua brilhava. Eu caminhava pela alameda e pensava em geleia de cerejas. De repente Zínotchka se aproxima de mim, pálida, maravilhosa, agarra-me pela mão e, ofegante, começa a se declarar:

— Oh, como eu o odeio! Nunca desejei tanto mal a alguém como desejo a você! Compreenda isso! Quero que você entenda isso!

Dá para entender? Aquela lua, o rosto pálido, a respiração ardente, o silêncio... estava agradável até para um porquinho como eu. Fiquei escutando e olhando nos olhos dela... A princípio eu estava me divertindo com aquela novidade, mas depois me deu um pavor, soltei um grito e corri desabalado para casa.

Decidi que o melhor a fazer era queixar-me à mamãe. Fiz a queixa, contei, a propósito, que Sacha tinha beijado Zínotchka. Eu era tolo e não previa as consequências, senão teria guardado o segredo para mim... Depois de me ouvir, mamãe ficou muito brava e disse:

— Não cabe a você falar sobre isso, você é ainda muito jovem... De qualquer modo, que mau exemplo para as crianças!

Minha mãe não só era virtuosa, como sabia agir com diplomacia. Para não fazer escândalo, ela despediu Zínotchka, mas não de uma vez, e sim aos poucos, sistematicamente, como em geral se faz para despedir pessoas de bem, mas indesejáveis. Eu me lembro que, no momento em que

Zínotchka estava indo embora, o último olhar que ela lançou à nossa casa foi dirigido à janela onde eu estava, e garanto-lhes que até hoje eu me lembro desse olhar.

Pouco tempo depois Zínotchka tornou-se esposa do meu irmão. É a Zinaida Nikoláevna que os senhores conhecem. Vim a encontrá-la mais tarde, quando eu já era cadete. Por mais que se esforçasse, ela não conseguia reconhecer no cadete bigodudo o seu odiado Pétia, mas, mesmo assim, não me tratou totalmente como a um parente... Até hoje, apesar da minha calvície bonachona, da minha barriga humilde e do meu ar submisso, ela continua a me olhar de esguelha e fica pouco à vontade quando vou à casa do meu irmão. Pelo visto, o ódio é difícil de esquecer, assim como o amor... Nossa! Ouvi um galo cantar. Boa noite a todos. Milord*, já pro seu lugar!

Agosto de 1887

---

* Milord, aqui, é o nome de um cachorro. (N.T.)

A IRREQUIETA

I

No casamento de Olga Ivânovna, estavam presentes todos os seus amigos e gentis conhecidos.

– Olhem para ele: não é verdade que tem algo de especial? – dizia ela a seus amigos, indicando com a cabeça o marido, como que desejando explicar por que razão se casara com um homem simples, muito comum, que não se destacava por coisa alguma.

Seu marido, Ossip Stepânytch Dýmov, era médico e tinha um posto equivalente ao de conselheiro titular.* Trabalhava em dois hospitais: em um, era interno extranumerário e, no outro, era chefe do serviço de autópsia. Diariamente, das nove ao meio-dia, ele atendia os pacientes e trabalhava na enfermaria; depois, tomava o bonde puxado a cavalo e ia para outro hospital, onde realizava autópsias nos doentes falecidos. A clínica particular era insignificante: rendia-lhe uns quinhentos rublos por ano. E isso era tudo. Que mais se poderia dizer sobre ele?

Por outro lado, Olga Ivânovna, seus amigos e gentis conhecidos eram pessoas não totalmente comuns. Cada um deles era notável por alguma coisa, já tinha alguma fama, um certo nome, considerava-se uma celebridade ou então era brilhantemente promissor, mesmo se ainda não fosse famoso. Havia um ator do teatro dramático, reconhecidamente um grande talento, encantador, inteligente, modesto e excelente declamador, que ensinava Olga Ivânovna a declamar; um cantor de ópera, gorducho e bonachão, que assegurava a Olga Ivânovna que seu dom estava se perdendo: se ela não fosse preguiçosa e se esforçasse, seria uma

---

* Na Rússia tsarista, nona classe dos funcionários públicos civis. (N.T.)

cantora excepcional; a seguir, havia um grupo de pintores, chefiados pelo pintor Riabóvski. Este pintava cenas, animais e paisagens; era um jovem muito bonito, louro, de uns 25 anos, um grande sucesso nas exposições, e seu último quadro fora vendido por quinhentos rublos; corrigia os estudos de Olga Ivânovna e dizia que dela poderia sair alguma coisa. Havia ainda um violoncelista que fazia chorar seu instrumento e confessava sinceramente que, de todas as mulheres conhecidas, a única que conseguia acompanhá-lo era Olga Ivânovna; e havia um escritor jovem, mas já famoso, autor de novelas, peças e contos. Quem mais? Bem, havia ainda o latifundiário Vassíli Vassílhitch, ilustrador diletante e vinhetista, profundamente influenciado pelo velho estilo russo, pelas bilinas* e poesias épicas, que em papel, porcelana ou pratos enegrecidos por fuligem criava verdadeiras maravilhas.

No meio desse grupo de artistas livres e mimados pela sorte, bem-educados e modestos, é verdade, mas que se lembravam dos médicos somente quando adoeciam, e para os quais o nome Dýmov era tão indiferente quanto Sídorov ou Tarássov – no meio desse grupo, Dýmov parecia estranho, supérfluo e pequeno, embora fosse alto, de ombros largos. Ele dava a impressão de estar usando um fraque alheio e seu cavanhaque fazia lembrar um administrador de fazenda. Porém, se ele fosse escritor ou pintor, diriam que, com aquela barbicha, ele tinha um quê de Zola.

O ator dizia a Olga Ivânovna que, vestida de noiva, com seus cabelos cor de linho, ela lembrava muito uma esguia cerejeira que na primavera se cobre de delicadas flores brancas.

– Não! Você precisa ouvir! – dizia-lhe Olga Ivânovna, segurando-o pelo braço. – Como foi que isso pôde acontecer de repente? Ouçam, ouçam... Para começar, preciso

---

* Antigos cantos populares russos sobre heróis lendários, geralmente ligados à defesa do território russo das invasões por parte das hordas asiáticas. (N.T.)

dizer que meu pai trabalhava junto com Dýmov num hospital. Quando meu pobre pai adoeceu, Dýmov ficou dias e noites junto ao seu leito. Quanta abnegação! Venha ouvir, Riabóvski... O senhor também, escritor, escute isso, é muito interessante. Cheguem mais perto. Quanta abnegação, que solidariedade sincera! Eu também passava as noites em claro e ficava ao lado do meu pai, e de repente – viva! Venci o herói! Meu Dýmov ficou louco de paixão. O destino às vezes é de fato bem caprichoso. Bem, depois da morte do meu pai, vez por outra ele vinha à minha casa ou nos encontrávamos por acaso na rua, e um belo dia, à noite, pam! – pediu-me em casamento, assim, de chofre... Chorei a noite inteira e também me apaixonei terrivelmente. E então, como estão vendo, me tornei uma esposa. Não é verdade que ele tem alguma coisa forte, poderosa, de urso? Seu rosto agora está três quartos voltado para nós e a iluminação é ruim, mas quando ele se virar, vejam a testa dele. Riabóvski, o que o senhor diria sobre essa testa? Dýmov, estamos falando de você! – gritou ela para o marido. – Venha cá. Estenda sua mão honesta a Riabóvski... Assim. Sejam amigos.

Sorrindo com jeito bonachão e ingênuo, Dýmov estendeu a mão a Riabóvski e disse:

– Muito prazer. Junto comigo se formou um certo Riabóvski. Não seria seu parente?

II

Olga Ivânovna tinha 22 anos, e Dýmov, 31. Eles começaram maravilhosamente sua vida de casados. Na sala de estar, Olga Ivânovna cobriu todas as paredes com desenhos, seus e alheios, com e sem moldura, e junto ao piano de cauda fez um belo arranjo com sombrinhas chinesas, cavaletes, panos de diversas cores, punhais, pequenos bustos, fotografias... Na sala de jantar, ela forrou as paredes com gravuras de *lubok**, pendurou *lápti*** e foices, colocou num canto uma gadanha e um ancinho, e o resultado foi uma sala ao estilo russo. No quarto de dormir, para criar algo parecido com uma gruta, ela cobriu o teto com um drapeado de lã rústica escura, pendurou sobre as camas uma luminária veneziana e junto à porta colocou uma figura segurando uma alabarda. E todos acharam que o jovem casal possuía um cantinho encantador.

Todos os dias, Olga Ivânovna levantava-se da cama lá pelas onze horas, tocava piano ou, se houvesse sol, fazia alguma pintura a óleo. Depois, após o meio-dia, ia à casa de sua costureira. Como o jovem casal tinha pouquíssimo dinheiro, o suficiente apenas para as necessidades básicas, ela e a costureira precisavam usar de espertezas para que a jovem pudesse exibir com frequência vestidos novos e causar boa impressão com seus trajes. De um vestido tingido, de retalhos de tule, rendas, *plush* e seda, que não custavam nada, surgiam verdadeiros milagres, coisas fascinantes, uns sonhos – e não simplesmente vestidos. Saindo da costureira, Olga Ivânovna geralmente ia visitar alguma atriz conhecida a fim de saber das novidades teatrais e aproveitar para conseguir ingresso para a estreia de uma nova peça ou para algum espetáculo beneficente. Depois da atriz, tinha de ir ao ateliê do pintor ou a uma exposição de quadros; depois, visitar alguma celebridade, convidá-la à sua casa, retribuir uma visita ou simplesmente bater um papo. E em toda parte era recebida amistosamente, com alegria, com declarações de que ela era bonita, agradável, uma pessoa rara... Aqueles a quem ela chamava de famosos, brilhantes, a recebiam como sua igual e profetizavam unanimemente que, com seus vários talentos, sua inteligência e seu bom

---

* Xilogravuras populares russas que lembram as nossas da literatura de cordel. (N.T.)

** Calçado rústico dos camponeses russos, feito de fibras de árvores trançadas. (N.T.)

gosto, ela tinha muita chance de ser alguém, se não viesse a se dispersar indisciplinadamente. Ela cantava, tocava piano, pintava, modelava, participava de espetáculos amadores, e tudo isso não de qualquer maneira, mas com talento; fazendo lanterninhas para a iluminação, confeccionando para si uma fantasia, dando um laço na gravata de alguém – tudo lhe saía de um jeito especialmente artístico, gracioso e bonito. Mas em nada seu talento se manifestava mais vivamente do que na sua habilidade para conhecer pessoas e se aproximar de gente famosa. Bastava alguém alcançar uma certa glória, por menor que fosse, e ser objeto de comentários, que ela logo conseguia ser apresentada a essa personalidade, tornando-se imediatamente sua amiga, e em seguida a convidava à sua casa. Todo conhecimento novo era uma verdadeira festa. Ela endeusava as pessoas famosas, orgulhava-se delas e as via em sonhos todas as noites. Era sedenta de tipos assim e nunca conseguia aplacar essa sede. Os antigos conhecidos se afastavam, eram esquecidos e vinham outros para substituí-los, mas com estes ela logo se acostumava ou se decepcionava e recomeçava avidamente a procurar, cada vez mais, personalidades importantes, que encontrava e novamente punha-se a procurar. Para quê?

Às cinco horas, almoçava em casa com o marido. A simplicidade, o bom senso e a bondade dele a emocionavam e enterneciam. Às vezes, ela saltava da cadeira e abraçava impulsivamente sua cabeça, cobrindo-a de beijos.

– Você, Dýmov, é um homem inteligente e cheio de nobreza – dizia –, mas tem um defeito muito grave: não se interessa nem um pouco por arte. Você despreza tanto a música como a pintura.

– Eu não entendo disso – dizia ele modestamente. – Toda a minha vida eu estudei ciências naturais e medicina, e não tive tempo para me interessar pelas artes.

– Mas isso é terrível, Dýmov!

– Por quê? Seus conhecidos não conhecem ciências naturais e medicina, entretanto, você não os critica por isso. Cada qual com sua ocupação. Eu não entendo de paisagens e óperas, mas penso assim: se pessoas inteligentes dedicam suas vidas a elas e se outras pessoas inteligentes pagam enormes somas por isso, significa que são necessárias. Eu não entendo, mas não entender não significa desprezar.

– Me deixe apertar sua mão honrada!

Após o almoço, Olga Ivânovna visitava seus conhecidos, em seguida ia ao teatro ou a um concerto e voltava para casa depois da meia-noite. E era assim todos os dias.

Às quartas-feiras, havia festinhas em sua casa. Nessas festas, a anfitriã e os convidados não jogavam baralho nem dançavam, e sim se distraíam com vários tipos de arte. O ator do teatro dramático lia em voz alta, o cantor cantava, o pintor desenhava em um dos muitos álbuns que Olga Ivânovna possuía, o violoncelista tocava; e a própria anfitriã também desenhava, modelava, cantava e acompanhava ao piano. Nos intervalos entre a leitura, a música e o canto, falava-se e discutia-se a respeito de literatura, teatro e pintura. Não havia a presença de senhoras, porque Olga Ivânovna considerava todas as damas enfadonhas e vulgares, com exceção das atrizes conhecidas e de sua costureira. Não havia uma festinha sequer em que a dona da casa não estremecesse a cada toque de campainha e não dissesse com uma expressão vitoriosa no rosto: "É ele!", subentendendo-se na palavra "ele" alguma nova celebridade que ela havia convidado. Dýmov não permanecia na sala de estar e ninguém se lembrava de sua existência. Mas às onze e meia em ponto abria-se a porta que dava para a sala de jantar e surgia Dýmov, com seu sorriso bondoso e tímido, e dizia, esfregando as mãos:

– Tenham a bondade, senhores, venham provar uns tira-gostos.

O grupo passava para a sala de jantar e todas as vezes viam sobre a mesa a mesma coisa: um prato com ostras, um pedaço de presunto ou carne de vitela, sardinhas, queijo, caviar, cogumelos, vodca e duas jarras de vinho.

— Meu querido *maître d'hotel**! — dizia Olga Ivânovna, batendo palmas de entusiasmo. — Você é simplesmente encantador! Senhores, olhem para a testa dele! Dýmov, vire-se de perfil. Olhem, senhores: é o rosto de um tigre de Bengala, mas a expressão é bondosa e meiga como a de uma rena. Ah, meu querido!

Os convidados comiam, olhando para Dýmov, e pensavam: "De fato, é um bom sujeito", mas logo se esqueciam dele e continuavam a falar de teatro, música e pintura.

Os recém-casados estavam felizes e sua vida corria às mil maravilhas. Aliás, a terceira semana de sua lua de mel transcorreu de maneira não totalmente feliz, triste mesmo. Dýmov contraiu erisipela no hospital, ficou seis dias de cama e precisou raspar seus belos cabelos negros. Olga Ivânovna ficou ao seu lado, chorando amargamente, mas, quando ele melhorou, enrolou na sua cabeça raspada um lenço branco e o fez de modelo para pintar um beduíno. E ambos se divertiram muito com isso. Uns três dias depois, já restabelecido, ele retornou ao hospital e aconteceu novo imprevisto.

— Estou sem sorte, mamãe! — disse ele, certa vez, durante o almoço. — Hoje fiz quatro autópsias e me cortei em dois dedos de uma só vez. E só fui notar em casa.

Olga Ivânovna ficou assustada. Ele sorriu e disse que não era nada, que muitas vezes ele feria as mãos durante as autópsias.

— Eu me empolgo, mamãe, e fico distraído.

Olga Ivânovna ficou esperando, ansiosa, para saber se tinha havido contaminação cadavérica e todas as noites rezava a Deus, mas tudo terminou bem. E a vida continuou pacífica e feliz, sem tristezas e preocupações. O presente era maravilhoso e, em substituição a ele, a primavera se apro-

---

* Garçom. Em francês no original. (N.T.)

ximava, já sorrindo ao longe e prometendo mil alegrias. A felicidade seria eterna! Em abril, maio e junho, haveria a casa de campo, bem longe, fora da cidade, com passeios, desenhos, pescarias, rouxinóis, e depois, de julho até o início do outono, a viagem dos pintores pelo Volga, e nessa viagem, como um membro obrigatório da *societé*, tomaria parte Olga Ivânovna. Ela já mandara fazer dois trajes de viagem de linho rústico, comprara tintas, pincéis, telas e uma paleta nova. Quase diariamente Riabóvski vinha à sua casa para verificar seus progressos na pintura. Quando ela lhe mostrava o que havia pintado, ele mergulhava as mãos nos bolsos, apertava fortemente os lábios, fungava e dizia:

– Vejamos... Essa sua nuvem está gritando: ela não está iluminada com luz vespertina. O primeiro plano parece um pouco mastigado e algo não está bom... E sua cabaninha parece esmagada por alguma coisa e está piando tristemente... Este canto precisaria ser escurecido. Mas, no geral, não é de se jogar fora. Merece um elogio.

E quanto mais incompreensível era sua fala, melhor Olga Ivânovna o compreendia.

III

No segundo dia do feriado da Trindade, depois do almoço, Dýmov comprou alguns petiscos salgados e bombons e foi ver sua mulher na casa de campo. Já fazia duas semanas que ele não a via e sentia muita saudade. No vagão do trem, enquanto procurava no meio do grande bosque sua casa de campo, ele sentia fome, cansaço e sonhava em jantar livremente com sua esposa, para depois cair na cama e dormir. E olhava feliz para o seu embrulho, onde havia caviar, queijo e salmão branco.

Quando conseguiu achar sua casa de campo e a reconheceu, o sol já se punha. A velha arrumadeira disse que a senhora não estava e que provavelmente chegaria logo.

A casa, cujo aspecto era muito pouco atraente, com tetos baixos, forrados com papel de escrever, com assoalhos irregulares e cheios de fendas, tinha apenas três cômodos. Em um deles ficava a cama; em outro, sobre as cadeiras e janelas, estavam atirados pincéis, telas, papel ensebado, paletós e chapéus masculinos; e, no terceiro, Dýmov encontrou três homens desconhecidos. Dois eram morenos, com barbichas, e o outro, completamente sem barba e gordo, pela aparência, era um ator. Sobre a mesa fervia um samovar.

– O que o senhor deseja? – perguntou o ator com voz de baixo, examinando Dýmov com ar de poucos amigos. – Está procurando Olga Ivânovna? Espere, ela vai chegar logo.

Dýmov sentou-se e ficou esperando. Um dos morenos, lançando um olhar sonolento e inexpressivo para Dýmov, serviu-se de chá e perguntou:

– Não quer um chá?

Dýmov queria beber e comer, mas, para não estragar seu apetite, recusou o chá. Um pouco depois, ouviram-se passos e um riso familiar; a porta se escancarou e na sala, correndo, entrou Olga Ivânovna, de chapéu de abas largas, com uma caixa nas mãos; atrás dela, segurando um grande guarda-sol e uma mesa dobrável, veio o alegre e vermelho Riabóvski.

– Dýmov! – gritou Olga Ivânovna, corando de alegria. – Dýmov! – repetiu, colocando as mãos no peito e na cabeça dele. – É você? Por que ficou tanto tempo sem vir? Por quê? Por quê?

– Quando é que eu tenho tempo, mamãe? Estou sempre ocupado e, quando estou livre, o horário dos trens não me serve.

– Mas como estou feliz de te ver! Esta noite toda eu sonhei com você, e estava com medo de que estivesse doente. Ah, se você soubesse como é bonzinho, como chegou hoje no momento certo! Você será meu salvador. Só você pode me salvar! Amanhã vai haver aqui um casamento superoriginal – continuou ela, rindo e amarrando a gravata do marido. – Um jovem telegrafista da estação, um tal de Tchikeldêiev, vai se casar. É um rapaz bonito, nada tolo, seu rosto tem alguma coisa forte, de urso... Poderia servir de modelo para se pintar um jovem guerreiro normando. Nós todos, inclusive o pessoal que está nas casas de campo, vamos participar e demos nossa palavra de honra de que estaremos no seu casamento... Ele é pobre, sozinho, tímido, e seria um pecado recusar nosso apoio. Imagine só isto: depois da missa, o casamento; depois, vamos todos a pé da igreja até a casa da noiva... Percebe? Bosque, canto de pássaros, manchas de sol na relva, e nós todos, como manchas coloridas num fundo verde vibrante – superoriginal, ao gosto dos expressionistas franceses. Mas, Dýmov, com que eu vou à igreja? – disse Olga Ivânovna, fazendo cara de choro. – Eu não tenho nada aqui, literalmente nada! Nem vestido, nem flores, nem luvas... Você precisa me salvar. Se veio, é sinal de que o próprio destino está mandando você me salvar. Tome, meu querido, as chaves, vá à nossa casa e pegue lá meu vestido cor-de-rosa. Você se lembra dele, é o primeiro que está pendurado... Depois, no chão do depósito, no lado direito, você vai ver duas caixas de papelão. Quando abrir a de cima, vai ver somente tule, tule, tule e vários retalhos e, debaixo de tudo, as flores. Tire as flores com cuidado, tente, coração, não amassar, depois eu escolho as que eu quero... E me compre um par de luvas.

– Está bem – disse Dýmov. – Amanhã eu vou e lhe mando tudo.

– Mas como amanhã? – perguntou Olga Ivânovna, olhando-o espantada. – Como você vai conseguir mandar a tempo? Amanhã, o primeiro trem sai daqui às nove horas, e o casamento é às onze. Não, querido, é preciso ir hoje, tem de ser hoje! Se amanhã você não puder vir, mande por um portador. Bem, então vá... Agora deve estar chegando o trem de passageiros. Não se atrase, coração.

– Está bem.

– Ah, que dó ter de deixar você partir! – disse Olga Ivânovna, e lágrimas apareceram nos seus olhos. – E para que eu, boba, fui dar minha palavra ao telegrafista!?

Dýmov bebeu rapidamente um copo de chá, pegou um pãozinho e sorrindo timidamente foi para a estação. E o caviar, o queijo e o salmão branco foram comidos pelos dois morenos e pelo ator gordo.

IV

Em uma noite calma de julho, Olga Ivânovna estava de pé no convés de um vapor no Volga, olhando ora para a água, ora para as belas margens do rio. Riabóvski estava ao seu lado e lhe dizia que as sombras negras na água não eram sombras, mas sonhos, e que diante da visão daquela água mágica, daquele brilho fantástico, do céu infinito e das margens tristes e pensativas, que falavam sobre a agitação de nossas vidas e a existência de algo superior, eterno, beatífico, seria bom adormecer, morrer, tornar-se uma recordação. O passado acabou e não interessa, o futuro é insignificante, e esta noite maravilhosa, única na vida, logo vai terminar, vai se fundir com a eternidade – então, para que viver?

Olga Ivânovna prestava atenção ora na voz de Riabóvski, ora no silêncio da noite, e pensava que era imortal, que nunca morreria. O azul-turquesa da água, de uma tonalidade que ela nunca havia visto antes, o céu, as margens, as sombras negras e a alegria irresponsável que enchia sua alma lhe diziam que dela surgiria uma grande pintora e que em algum lugar bem longe, além da noite enluarada, no espaço sem fim, estavam à sua espera o triunfo, a glória, o amor das pessoas... Quando olhava muito tempo para longe sem piscar, ela tinha a impressão de ver multidões e luzes, de ouvir músicas solenes e gritos de entusiasmo, e se via vestida de branco, com flores sendo atiradas de todos os lados sobre ela. E ainda vinha-lhe à mente que ao seu lado, com os cotovelos apoiados na borda, estava um verdadeiro grande homem, um gênio escolhido por Deus... Tudo o que ele havia criado até então era maravilhoso, novo, incomum, e o que ele criaria com o passar do tempo, quando seu raro talento se fortalecesse com a maturidade, seria surpreendente, infinitamente superior, e isso podia ser visto pelo seu rosto, por sua maneira de se expressar e por sua relação com a natureza. Ele falava de um jeito especial, peculiar, sobre as sombras, os tons vespertinos e o brilho da lua, de modo que, sem querer, era possível sentir o encanto do seu poder sobre a natureza. Ele próprio era muito bonito, original; sua vida era independente, livre, alheia a qualquer problema do cotidiano, como a vida dos pássaros.

— Está esfriando — disse Olga Ivânovna, estremecendo.

Riabóvski cobriu-a com sua capa e falou com voz triste:

— Sinto que estou em seu poder. Sou seu escravo. Por que a senhora está tão cativante hoje?

Ele a fitava o tempo todo sem desviar os olhos, e seu olhar era tão assustador que ela ficou com medo de encará-lo.

— Eu a amo loucamente... — sussurrou ele, soprando no seu rosto. — Me diga uma única palavra e não vou mais viver, abandono a arte... — balbuciava ele, num tom fortemente apaixonado. — Me ame, me ame...

— Não fale assim — disse Olga Ivânovna fechando os olhos. — Isso é terrível. E Dýmov?

— O que Dýmov tem a ver com isso? Por que Dýmov? O que eu tenho a ver com Dýmov? Existe o Volga, a lua, a beleza, o meu amor, meu êxtase, mas não existe nenhum Dýmov... Ah, eu nada sei. Não preciso do passado, dê-me um momento, um breve instante!

O coração de Olga Ivânovna bateu mais acelerado. Ela queria pensar no marido, mas todo o seu passado, o casamento, Dýmov e as festinhas lhe pareceram pequenos, insignificantes, embaçados, desnecessários e inteiramente distantes... De fato: quem era Dýmov? Por que Dýmov? Que tinha ela a ver com Dýmov? E será que ele existe na realidade e não é apenas um sonho?

"Para ele, homem simples e comum, basta a felicidade que já recebeu" – pensava ela, cobrindo o rosto com as mãos. "Que os outros *lá* me julguem, me amaldiçoem, mas, só de raiva, vou desgraçar a minha vida, ah, se vou... É preciso provar de tudo na vida. Meu Deus, como é terrível e como é bom!"

– E então? Então? – balbuciava o pintor, abraçando-a e beijando com ardor as mãos com que ela debilmente tentava afastá-lo de si. – Você me ama? Sim? Sim? Oh, que noite! Que noite maravilhosa!

– É, que noite! – sussurrou ela, fitando os olhos dele, brilhantes de lágrimas; depois deu uma olhada rápida ao redor, abraçou-o e beijou-o fortemente nos lábios.

– Estamos chegando a Kínechma! – disse alguém no outro lado do convés.

Ouviram-se passos pesados. Era um empregado do bufê que passava por eles.

– Escute – disse Olga Ivânovna ao empregado, rindo e chorando de felicidade –, traga vinho para nós.

O pintor, pálido de emoção, sentou-se num banco, olhou para Olga Ivânovna com gratidão e endeusamento, depois baixou as pálpebras e disse sorrindo languidamente:

– Estou cansado.

E encostou a cabeça na borda.

V

O dia dois de setembro estava quente e calmo, porém nublado. De manhã cedo, no Volga, pairava uma leve bruma, mas após as nove horas começou a chuviscar e não havia qualquer esperança de que o céu fosse clarear. Durante o chá, Riabóvski dizia a Olga Ivânovna que a pintura era a arte mais ingrata e monótona, que ele não era um pintor, que apenas os tolos achavam que ele tinha talento, e de repente, sem mais nem menos, pegou uma faca e arranhou seu melhor estudo. Depois do chá, ficou sentado junto à janela, carrancudo, olhando para o Volga. O rio já estava sem brilho, opaco, embaçado, com aparência de frieza. Tudo fazia lembrar a aproximação do melancólico e sombrio outono. Parecia que a natureza havia retirado os luxuosos tapetes verdes das margens, os reflexos que brilhavam como diamantes, o azul profundo e transparente, tudo o que havia de enfeites e atavios, e os guardara dentro de baús até a próxima primavera. Os corvos voavam ao lado do Volga e gritavam para o provocar: "Está pelado! Está pelado!". Riabóvski ouvia o crocitar e pensava que estava acabado, que havia perdido o talento, que tudo nesta vida é convencional, relativo e idiota, e que ele não deveria ter se envolvido com aquela mulher...

Em suma: ele estava de mau humor e entregue à melancolia.

Olga Ivânovna, sentada na cama atrás do tabique, desfiava com os dedos seus maravilhosos cabelos cor de linho e imaginava-se ora na sala de estar, ora no quarto, ora no gabinete do marido; a imaginação a levava ao teatro, à costureira e aos amigos famosos. Que estariam fazendo agora? Será que se lembravam dela? Já começara a alta estação e era hora de pensar nas festinhas. E Dýmov? Tão bonzinho o Dýmov! Com que timidez e queixume infantil ele pede nas cartas que ela volte o mais depressa possível para casa! Todos os meses ele lhe enviava 75 rublos e, quando ela lhe escreveu dizendo que pedira emprestado aos pintores cem rublos, lhe mandou também essa quantia. Que homem bom e generoso! Olga Ivânovna já estava cansada da viagem, se entediava, queria ir o mais rápido possível para longe daqueles camponeses, do cheiro da umidade do rio, queria se livrar daquela sensação de sujeira corporal que sentia o tempo todo hospedando-se nas izbás* dos camponeses e vagando como nômade de uma aldeia a outra. Se Riabóvski não tivesse dado sua palavra de honra aos pintores de que ficaria com eles até o dia vinte de setembro, os dois poderiam ir embora já, naquele mesmo dia. E como isso seria bom!

– Ah, meu Deus! – gemia Riabóvski. – Quando finalmente vai fazer sol? Não posso continuar uma paisagem ensolarada sem sol!

– Mas você tem um estudo com céu nublado – disse Olga Ivânovna, saindo de trás do tabique. – Lembra? Com um bosque no plano direito e, no esquerdo, um rebanho de vacas e uns gansos. Agora você poderia terminá-lo.

– Ei! – disse o pintor franzindo o sobrolho. – Pare! Será que você acha que sou tão idiota que não sei o que tenho de fazer?

– Como você está diferente comigo! – suspirou Olga Ivânovna.

– Ah, é? Então, maravilha!

O rosto de Olga Ivânovna estremeceu, ela foi para perto do fogão e começou a chorar.

– Era só o que faltava: lágrimas! Pare com isso! Eu tenho mil razões para chorar, mas não estou chorando.

– Mil razões! – soluçou Olga Ivânovna. – A principal é que o senhor está ficando incomodado com a minha presença. É por isso! – disse ela e começou a soluçar. – Para falar a verdade, o senhor está com vergonha do nosso amor. O senhor faz de tudo para que os pintores não notem, embora isso seja impossível de esconder, e eles já sabem há muito tempo.

---

* Casa rústica dos camponeses russos, feita de troncos de árvores encaixados uns sobre os outros e coberta de palha. Tinha geralmente um único cômodo e um fogão de tijolos que servia de estufa no inverno. (N.T.)

– Olga, eu só peço uma coisa da senhora – disse o pintor com voz de súplica, colocando a mão sobre o coração –, só uma coisa: não me torture! Não preciso de mais nada da senhora!

– Mas jure que o senhor ainda me ama!

– Isto é torturante! – disse ele por entre dentes, levantando-se de um salto. – Vou acabar me jogando no Volga ou enlouquecendo. Me deixe em paz!

– Então me mate! Me mate! – gritou Olga Ivânovna. – Me mate!

Ela começou novamente a soluçar e foi para trás do tabique. No teto de palha da izbá, a chuva começou a farfalhar. Riabóvski pôs as mãos na cabeça, caminhou de um lado para o outro, e depois, com uma expressão resoluta, como se quisesse provar alguma coisa a alguém, colocou o quepe, atirou no ombro a espingarda e saiu da izbá.

Depois que ele saiu, Olga Ivânovna ficou muito tempo deitada, chorando. A princípio pensou que seria bom tomar veneno, para que, ao voltar, Riabóvski a encontrasse morta; depois se transportou em pensamento para sua sala de estar e para o gabinete do marido e ficou imaginando-se sentada, imóvel, ao lado de Dýmov, deliciando-se com o sossego físico e a limpeza; também pensou que estava à noite no teatro ouvindo Mazini. E a saudade da civilização, do barulho da cidade e das pessoas famosas deixou seu coração apertado. Uma camponesa entrou e, sem pressa, começou a acender o fogão para fazer o almoço. Espalhou-se um cheiro de fuligem e o ar ficou azul de fumaça. Os pintores começaram a chegar, com as botas altas cheias de sujeira e os rostos molhados de chuva; examinavam os estudos e diziam, para se consolar, que o Volga até com mau tempo possui os seus encantos. O relógio barato na parede fazia tic-tic-tic... Moscas enregeladas, zumbindo, amontoavam-se no canto dianteiro do cômodo, junto aos ícones, e se podia ouvir, debaixo dos bancos, baratas de pernas grossas caminhando...

Riabóvski voltou para casa quando o sol já se punha. Atirou sobre a mesa o quepe e, pálido, exausto, com as botas sujas, deitou-se no banco e fechou os olhos.

– Estou cansado... – disse ele e moveu as sobrancelhas, fazendo um esforço para levantar as pálpebras.

Para lhe fazer um carinho e mostrar que não estava zangada, Olga Ivânovna se aproximou, beijou-o em silêncio e passou um pente nos seus cabelos louros. Ela queria penteá-lo.

– Que é isso? – perguntou ele, estremecendo como se algo frio o tivesse tocado, e abriu os olhos. – Que é isso? Me deixe em paz, eu lhe peço.

Empurrou-a com a mão e saiu dali, e ela teve a impressão de que seu rosto expressava aversão e aborrecimento. Nesse meio-tempo, a camponesa trouxe para ele um prato com *schi** e Olga Ivânovna viu-a molhar seus grandes dedos na sopa. A mulher suja, com um pano lhe apertando a barriga, a sopa que Riabóvski pôs-se a comer avidamente, a izbá e todo esse modo de vida que no início amara tanto pela simplicidade e pitoresca desorganização, agora ela achava horrível. Sentiu-se de repente ofendida e disse em tom frio:

– Precisamos nos separar por uns tempos, senão podemos brigar seriamente, por tédio. Estou farta disso. Hoje vou embora.

– Como? Montada numa varinha mágica?

– Hoje é quinta-feira, significa que às nove e meia vai chegar um vapor.

– É? Está bem... Pois então vá... – disse suavemente Riabóvski, limpando-se com uma toalha em vez de guardanapo. – Você está se aborrecendo, não posso fazer nada, precisaria ser um grande egoísta para segurá-la aqui. Parta, e nos veremos depois do dia vinte.

Olga Ivânovna pôs-se a arrumar suas coisas alegremente, e seu rosto até ficou corado de satisfação. "Será

---

* Ver nota da página 43. (N.T.)

mesmo verdade, perguntava-se, que em breve vou pintar na minha sala de estar, dormir no meu quarto e almoçar com toalha na mesa?" Seu coração ficou leve e ela já não estava mais zangada com o pintor.

– As tintas e os pincéis eu deixei para você, Riabucha* – disse ela. – O que sobrar, você leva... Veja lá, hein, não vá ficar preguiçoso nem melancólico sem mim e trate de trabalhar. Para mim, você é o máximo, Riabucha.

Às nove horas, ao se despedir, Riabóvski beijou-a, e Olga Ivânovna pensou que ele fez isso para não beijá-la no vapor, na presença dos outros pintores. Ele a acompanhou ao cais e em seguida chegou o vapor e a levou.

Depois de dois dias e meio, ela chegou à sua casa. Sem tirar o chapéu e o impermeável, respirando com dificuldade devido à emoção, passou pela sala de estar e foi para a sala de jantar. Dýmov estava sentado à mesa sem casaco, com o colete desabotoado, e afiava a faca com o garfo. Diante dele havia um prato com uma perdiz. Quando Olga Ivânovna entrou no apartamento, estava convencida de que era indispensável ocultar tudo do marido e de que ela teria capacidade e forças para isso, mas agora, quando viu seu sorriso largo, dócil, cheio de felicidade, os seus olhos brilhantes e alegres, ela sentiu que esconder os fatos desse homem era algo tão baixo, asqueroso e impossível, tão além de suas forças como caluniar, roubar ou matar, e num instante resolveu contar-lhe tudo o que acontecera. Permitiu que ele a abraçasse e beijasse, depois caiu de joelhos diante dele e tapou o rosto.

– Que foi? Que aconteceu, mamãe? – perguntou ele com doçura. – Ficou com saudade?

Ela levantou o rosto vermelho de vergonha e olhou para ele com ar de culpa e súplica, mas o medo e o peso na consciência não a deixaram dizer a verdade.

– Não foi nada... – disse ela. – É bobagem minha...

---

* Diminutivo afetivo e informal do sobrenome Riabóvski. (N.T.)

– Vamos nos sentar – disse ele, ajudando-a a se levantar e a se sentar à mesa. – Assim... Coma perdiz. Você está com fome, pobrezinha.

Ela aspirava avidamente o ar doméstico e comia a perdiz, enquanto ele a olhava enternecido e ria de alegria.

VI

Ao que tudo indica, a partir da metade do inverno Dýmov começou a desconfiar de que estava sendo traído. Assim como uma pessoa que não tem a consciência limpa, ele já não conseguia olhar diretamente nos olhos da esposa, não sorria alegremente quando a encontrava e, para ficar menos tempo a sós com ela, muitas vezes levava para almoçar em sua casa seu colega Korosteliov, um homenzinho pequeno, de cabelo curto e cara amassada. Quando conversava com Olga Ivânovna, este desabotoava, encabulado, todos os botões do seu paletó e depois os abotoava novamente e, em seguida, começava a puxar com a mão direita pelinhos do bigode esquerdo. Durante o almoço, os dois médicos comentavam que, quando o diafragma está muito alto, às vezes acontece intermitência dos batimentos cardíacos, ou que neurites múltiplas eram muito frequentes nos últimos tempos, ou que, na véspera, ao abrir um cadáver que viera com diagnóstico de "anemia perniciosa", Dýmov encontrou um câncer de pâncreas. Dava a impressão de que eles falavam de medicina apenas para dar a Olga Ivânovna a possibilidade de ficar calada, ou seja, de não mentir. Depois do almoço, Korosteliov sentava-se ao piano; Dýmov suspirava e dizia:

– Eh, irmão! Vamos lá! Toque alguma coisa triste.

Elevando os ombros e separando bem os dedos, Korosteliov tocava alguns acordes e começava a cantar com voz de tenor: *Mostre-me alguma casa onde não haja um mujique russo gemendo*, e Dýmov tornava a suspirar, apoiava a cabeça no punho e ficava pensativo.

Nos últimos tempos, Olga Ivânovna se comportava de modo extremamente descuidado. Todas as manhãs acordava com o pior dos humores e com a ideia de que ela já não amava Riabóvski e de que, graças a Deus, tudo estava terminado. Mas, depois de tomar café, ficava pensando que Riabóvski a tinha feito perder o marido e que, agora, ela estava sem o marido e sem Riabóvski; depois ficava lembrando das conversas de seus conhecidos, que diziam que Riabóvski estava preparando, para uma exposição, algo chocante, um misto de paisagem com pintura de cenas, ao estilo de Polénov*, e que todos que iam ao seu ateliê ficavam maravilhados. Mas então pensava que fora sob influência dela que ele havia criado aquilo e que, no geral, graças à sua influência ele tinha mudado decididamente para melhor. Sua influência estava sendo tão fecunda e fundamental que, se ela o deixasse, provavelmente ele se acabaria. E se lembrava também de que ultimamente ele vinha vê-la com um casaco de *tweed* cinza salpicado de pintas claras e com uma gravata nova e lhe perguntava languidamente: "Estou bonito?". De fato, muito vistoso, com seus longos cachos e olhos azuis, ele estava muito bonito (ou talvez lhe parecesse) e também estava carinhoso com ela.

Após recordar e pesar tantas coisas, Olga Ivânovna se vestia e, muito preocupada, ia para o ateliê de Riabóvski. Encontrava-o alegre e entusiasmado com seu quadro, que de fato era magnífico; ele pulava, fazia gracinhas e às perguntas sérias respondia com brincadeiras. Olga Ivânovna tinha ciúme do quadro e odiava-o, mas, por delicadeza, ficava uns cinco minutos calada diante da pintura; depois, suspirando como se estivesse diante de uma imagem sagrada, dizia baixinho:

– É, você nunca pintou nada igual a isto. Olha, dá até medo.

---

* Vassíli Dmítrievitch Polénov (1844-1927), pintor, arquiteto e compositor russo, um dos iniciadores da pintura realista na Rússia. (N.T.)

A seguir, começava a implorar que ele a amasse, que não a abandonasse, que tivesse pena dela, pobre infeliz. Chorava, beijava as mãos dele, exigia-lhe juras de amor, tentava convencê-lo de que sem sua boa influência ele perderia o rumo e se destruiria. Depois de estragar o humor dele, com uma sensação de humilhação ia à casa da costureira ou da atriz, sua conhecida, para conseguir ingressos.

Quando não o encontrava no ateliê, deixava uma carta na qual jurava que tomaria veneno se ele não fosse vê-la. Ele se acovardava, ia à casa dela e ficava para jantar. Sem se intimidar com a presença do marido, lhe dizia desaforos e ela respondia no mesmo tom. Ambos sentiam que estavam se prendendo mutuamente, que eram déspotas e inimigos, ficavam enraivecidos e, na raiva, não notavam que agiam de maneira indecorosa e que até Korosteliov, o do cabelo curto, já havia entendido tudo. Terminado o jantar, Riabóvski se despedia apressadamente e ia embora.

– Aonde o senhor vai? – perguntava Olga Ivânovna no vestíbulo, olhando-o com ódio.

Franzindo o rosto e semicerrando os olhos, ele mencionava alguma conhecida comum, e ficava evidente que com isso estava zombando do ciúme dela e queria irritá-la. Ela ia para o quarto e se deitava na cama. Sentindo ciúme, despeito, humilhação e vergonha, mordia o travesseiro e começava a soluçar alto. Dýmov deixava Korosteliov na sala e ia para o quarto, onde, confuso, sem saber o que fazer, dizia em voz baixa:

– Não chore alto, mamãe... Para quê? É preciso fazer silêncio sobre isso... Não deve dar na vista... Pois o que aconteceu já não se pode consertar.

Sem saber como dominar o ciúme pesado que lhe causava dor nas têmporas e pensando que ainda era possível remediar a situação, ela se lavava, empoava o rosto choroso e voava para a casa da conhecida comum. Não encontrando lá Riabóvski, ia para a casa de outra dama, depois para a de uma terceira... No início, tinha vergonha dessa peregrinação, mas logo se acostumou; às vezes passava em revista as casas de todas as conhecidas à procura de Riabóvski, e todos percebiam isso.

Certa vez, ela disse a Riabóvski a respeito do marido:

– Esse homem me sufoca com sua generosidade!

O modo de vida continuava o mesmo do ano anterior. Às quartas havia festinhas. O ator declamava, os pintores desenhavam, o violoncelista tocava, o cantor cantava. E, invariavelmente, às onze e meia abria-se a porta que dava para a sala de jantar e Dýmov, sorrindo, dizia:

– Tenham a bondade, senhores, venham provar uns tira-gostos.

Como antes, Olga Ivânovna corria atrás de celebridades, que descobria mas não ficava satisfeita, e novamente ia procurar outras. Como antes, voltava para casa sempre tarde da noite, porém já não encontrava Dýmov dormindo, como no ano anterior, e sim sentado no seu gabinete, trabalhando em alguma coisa. Ele ia se deitar lá pelas três da manhã e se levantava às oito.

Certa vez, à noite, quando ela estava diante do grande espelho do seu quarto arrumando-se para o teatro, entrou Dýmov de fraque e gravata branca. Ele sorria de modo tímido e, como antigamente, olhava para a mulher diretamente nos olhos. Seu rosto estava exultante.

– Acabei de defender minha tese – disse, sentando-se e alisando os joelhos.

– Defendeu? – perguntou Olga Ivânovna.

– Ãhã! – riu ele e espichou o pescoço para ver no espelho o rosto da esposa, que continuava de costas, ajeitando o penteado. – Ãhã! – repetiu ele. – Sabe, é bem possível que me ofereçam a livre-docência de patologia geral. Há algo no ar.

Era visível pelo seu rosto radiante e sua expressão de beatitude que, se Olga Ivânovna tivesse partilhado com ele a alegria e o triunfo, ele a teria perdoado por tudo, no presente e no futuro, e teria esquecido tudo, mas ela não sabia o que é livre-docência e patologia geral e, além do mais, receava se atrasar para o teatro, e nada disse.

Ele ficou ali sentado uns dois minutos, sorriu com ar culpado e saiu.

VII

Aquele dia foi terrivelmente agitado. Dýmov sentia uma dor de cabeça fortíssima; de manhã não tomou o chá, não foi ao hospital e todo o tempo permaneceu no seu gabinete, deitado num divã turco. Olga Ivânovna, como sempre, após o meio-dia foi ao ateliê de Riabóvski, a fim de lhe mostrar um estudo de natureza morta e perguntar por que ele não viera na véspera. Achava seu estudo insignificante; fizera-o apenas como pretexto para procurar o pintor.

Ela entrou sem tocar a campainha e, quando tirava as galochas no vestíbulo, teve a impressão de que ouvira algo passar correndo pelo ateliê sem fazer muito barulho, semelhante a um farfalhar de roupa feminina. Quando ela correu para dar uma olhada no estúdio, por um instante viu de relance apenas um pedaço de saia marrom que desapareceu atrás de um grande quadro, coberto até o chão, juntamente com o cavalete, por um pano preto. Não havia dúvida, uma mulher se escondera ali. Quantas vezes a própria Olga Ivânovna encontrara refúgio atrás daquele quadro!

Com evidente embaraço, como se estivesse surpreso com a chegada dela, Riabóvski estendeu-lhe as duas mãos, sorrindo forçado:

– A-a-a-ah! Fico feliz em vê-la. Que me conta de bom?

Os olhos de Olga Ivânovna encheram-se de lágrimas. Ela sentia vergonha e amargura, e nem por um milhão concordaria em falar na presença de uma estranha, uma rival, a mentirosa que estava naquele momento escondida atrás da tela, provavelmente rindo com sarcasmo.

– Eu lhe trouxe um estudo... – disse ela timidamente, com um fiapo de voz, e seus lábios estremeceram. – Uma natureza morta.

– A-a-ah... Um estudo?

O pintor tomou o desenho nas mãos e examinou-o, enquanto ia maquinalmente para outro cômodo.

Olga Ivânovna seguiu-o, submissa.

– Natureza morta... comporta... – escandia ele, procurando rimas – corta... torta... importa...

Do estúdio ouviram-se passos apressados e rumor de saias, o que significava que *ela* havia saído. Olga Ivânovna teve vontade de gritar alto, bater com alguma coisa pesada na cabeça do pintor e ir embora, mas não via nada através das lágrimas; estava esmagada pela vergonha e já não se sentia nem Olga Ivânovna nem uma pintora, e sim um mísero inseto.

– Estou cansado... – disse com languidez o artista, olhando para o esboço e sacudindo a cabeça para espantar o sono. – Está bonito, é claro, mas hoje você traz um estudo, no ano passado também, daqui a um mês, outro estudo... Como ainda não se cansou? No seu lugar, eu largaria a pintura e me dedicaria seriamente à música ou a outra coisa qualquer. Pois a senhora não é pintora, e sim musicista. Entretanto, como estou cansado, sabe? Vou dar ordens para que tragam chá... Está bem?

Ele saiu da sala e Olga Ivânovna o ouviu ordenar alguma coisa ao seu criado. Para não ter de se despedir e dar explicações e, principalmente, para não começar a soluçar, Olga Ivânovna correu rapidamente para o vestíbulo antes que Riabóvski voltasse, calçou as galochas e saiu para a rua. Ali ela suspirou aliviada e sentiu-se para sempre livre de Riabóvski, da pintura e da pesada vergonha que tanto a esmagara dentro do ateliê. Estava tudo terminado!

Foi à casa da costureira, depois foi ver Barnai, que havia chegado na véspera, e de Barnai foi à loja de partituras, e todo esse tempo pensava em escrever a Riabóvski uma carta fria, dura, cheia de brio, e também pensava que na primavera ou no verão ela iria com Dýmov para a Crimeia, onde se livraria definitivamente do passado e começaria uma vida nova.

Chegou em casa tarde da noite, não tirou a roupa e sentou-se na sala de estar para redigir a carta. Riabóvski lhe dissera que ela não era uma pintora, pois por vingança ela agora lhe escreveria que todos os anos ele pinta sempre a mesma coisa, fala sempre as mesmas coisas todos os dias, que está congelado no tempo e que dele não vai sair mais nada além do que já saíra. Pensava em escrever também que muita coisa ele devia à sua boa influência e, se ele está agindo mal, é apenas porque sua boa influência está sendo anulada por diversas pessoas sem decência, como aquela que hoje estava escondida atrás do quadro.

– Mamãe! – chamou Dýmov do gabinete, sem abrir a porta. – Mamãe!

– Que você quer?

– Mamãe, não entre aqui, apenas se aproxime da porta. É o seguinte... Há três dias eu me contaminei com difteria no hospital e agora... estou me sentindo mal. Mande rápido chamar Korosteliov.

Olga Ivânovna sempre chamava o marido, bem como todos os homens seus conhecidos, não pelo nome, e sim pelo sobrenome. O nome dele, Ossip, não lhe agradava, porque lembrava o Ossip* de Gógol e também o jogo de palavras: *Ossip okhrip, a Arkhip ossip.*** Mas agora ela gritou:

– Ossip, não pode ser!

---

* Personagem de *O inspetor geral*, de Gógol (Pronuncia-se Ossíp). (N.T.)

** A tradução é: Ossip ficou rouco, e Arkhip ficou rouco. (N.T.)

– Mande logo! Estou mal... – disse Dýmov atrás da porta, e foi possível ouvi-lo aproximar-se do divã e se deitar. – Mande logo – soou sua voz surda.

"Mas o que será isso?" – pensou Olga Ivânovna, e ficou gelada de terror. "Isso é perigoso!"

Sem nenhuma necessidade, ela pegou uma vela e foi para o seu quarto, e lá, raciocinando sobre o que deveria fazer, sem querer olhou para si mesma no espelho. Ao se ver com um rosto pálido e assustado, numa jaqueta de mangas bufantes, babados amarelos no peito e uma saia de listas enviesadas, achou-se horrível e repugnante. De repente sentiu uma pena dolorida de Dýmov, do seu ilimitado amor por ela, da sua vida jovem, e até daquela sua cama órfã, onde havia tempo que ele não dormia. E se lembrou do seu sorriso habitual, tímido, submisso. Ela chorou com amargura e escreveu uma carta suplicante a Korosteliov. Eram duas horas da madrugada.

VIII

Antes das oito da manhã, quando Olga Ivânovna saiu do quarto com a cabeça pesada da insônia, despenteada, feia e com uma expressão culpada no rosto, perto dela passou um senhor de barba negra indo para o vestíbulo, pelo visto, um médico. Havia cheiro de remédios. Perto da porta do gabinete estava Korosteliov, cofiando o bigode esquerdo com a mão direita.

– Desculpe, não posso deixá-la entrar para vê-lo – disse ele sombrio a Olga Ivânovna. – Pode se contagiar. E, além disso, não tem sentido. Ele está delirando.

– É mesmo difteria o que ele tem? – perguntou Olga Ivânovna num sussurro.

– Aqueles que bancam os valentes deveriam ser julgados e condenados – murmurou Korosteliov, sem responder a Olga Ivânovna. – Sabe como ele se contaminou? Na terça-feira, aspirou com um canudinho as placas de difteria da garganta de um menino. Para que isso? Foi uma tolice... Fez isso assim, por bobagem...

– É perigoso? Muito? – perguntou Olga Ivânovna.

– Sim, dizem que é da forma mais grave. Na realidade, seria bom mandar buscar Chrek.

Veio um médico pequeno, ruivinho, de nariz comprido e sotaque de judeu; depois, chegou um alto, meio curvado, descabelado, parecido com um arquidiácono; mais tarde, surgiu um jovem muito gordo, com uma cara vermelha e óculos. Eram todos médicos que vinham dar plantão à cabeceira do seu colega. Korosteliov, após cumprir seu horário, não foi para casa e continuou ali, vagando como uma sombra por todos os cômodos. A empregada servia chá aos médicos de plantão e ia frequentemente à farmácia, e não havia ninguém para limpar a casa. Tudo estava silencioso e triste.

Olga Ivânovna ficava no seu quarto e pensava que Deus a estava castigando por trair o marido. Aquele ser silencioso, resignado, incompreensível, sem personalidade de tanta brandura, fraco, anulado em seu temperamento pelo excesso de bondade, estava deitado no divã e não se queixava. Se ele se queixasse, mesmo nos seus delírios, os médicos que davam plantão saberiam que ali não era culpada apenas a difteria. E se perguntassem a Korosteliov? Ele sabe de tudo e não é à toa que olha para a esposa do amigo de um modo tal, como se ela fosse a principal e verdadeira malfeitora, sendo a difteria apenas sua cúmplice. Ela já não se lembrava das noites enluaradas no Volga, nem das declarações de amor, nem da poesia da vida na izbá; lembrava-se apenas que por um capricho vazio, por uma bobagem, ela se cobrira da cabeça aos pés com uma sujeira viscosa, da qual nunca conseguiria se limpar...

"Ah, eu menti de modo horrível!" – pensava, lembrando-se do agitado romance com Riabóvski. "Maldito seja tudo isso!"

Às quatro horas, almoçou na companhia de Korosteliov. Este não comeu nada, apenas bebeu vinho tinto, com a cara fechada. Ela também não comia. Ora rezava em pensamento e jurava a Deus que, se Dýmov sarasse, ela o amaria novamente e seria uma esposa fiel; ora, distraindo-se momentaneamente, ficava olhando para Korosteliov, pensando: "Não será enfadonho ser uma pessoa simples, sem nada de interessante, um completo desconhecido e, ainda por cima, com uma cara amassada e maus modos?". Outras vezes lhe parecia que em breve Deus a mataria porque, temendo o contágio, não entrara sequer uma vez no gabinete do marido. E, mais do que tudo, tinha uma sensação e uma certeza surda e melancólica de que a vida já estava estragada e de que não havia meio de consertá-la.

Depois do almoço veio a noite. Quando Olga Ivânovna entrou na sala de estar, Korosteliov dormia no canapé, a cabeça sobre uma almofada de seda bordada com fios dourados. "Rrr... prri..." – roncava ele – "rrr... prri."

Os médicos que vinham dar plantão não notavam a desordem. O fato de um estranho estar dormindo e roncando na sala de estar, os desenhos nas paredes, a decoração extravagante e também a dona da casa despenteada e descuidada no vestir – nada disso despertava qualquer interesse. Um dos médicos riu por algum motivo, e como soou estranho, tímido, esse riso. Deu até medo.

Quando Olga Ivânovna entrou novamente na sala de estar, Korosteliov já não dormia e estava sentado, fumando.

– Ele tem difteria nas cavidades nasais – disse o médico a meia-voz. – O coração já está funcionando mal. Em suma, a coisa não está boa.

– O senhor mande chamar Chrek – disse Olga Ivânovna.

– Ele já esteve aqui. Foi ele que percebeu que a difteria passou para o nariz. E para que Chrek? Na verdade, Chrek não vai fazer diferença. Tanto faz Chrek ou eu, Korosteliov, e isso é tudo.

O tempo se arrastava terrivelmente devagar. Olga Ivânovna ficava deitada de roupa, na cama que não fora arrumada desde a manhã, e cochilava. Ela sonhou que todo o apartamento, do chão até o teto, havia sido ocupado por um imenso bloco de ferro e que bastava retirar aquele ferro e tudo ficaria alegre e agradável. Ao despertar, ela se lembrou de que não havia nenhum ferro, e sim a doença de Dýmov.

"Natureza morta, comporta..." – pensava ela, meio entorpecida. "Recorta, importa... E com Chrek? Chrek, breque, crec... trec. Onde estarão meus amigos agora? Será que eles sabem que estamos passando por essa dor? Meu Deus, me salve... me livre... Chrek, breque..."

E o ferro aparecia novamente... O tempo se arrastava, comprido, embora o relógio no andar de baixo batesse com frequência. A toda hora ouvia-se a campainha, chegavam os médicos... A empregada entrou com um copo vazio numa bandeja e perguntou:

– Senhora, deseja que eu arrume a cama?

Não recebendo resposta, ela saiu. O relógio soou lá embaixo. Olga Ivânovna viu em sonhos a chuva sobre o Volga e novamente alguém entrou no quarto. Por todas as evidências, era um estranho. Olga Ivânovna deu um salto e reconheceu Korosteliov.

– Que horas são? – perguntou ela.
– Quase três.
– E então?
– E então!? Eu vim para lhe dizer: está morrendo...

Ele deu um soluço, sentou-se na cama ao lado dela e enxugou as lágrimas com a manga. Ela não entendeu de imediato, mas ficou inteiramente gelada e começou a se persignar devagar.

– Está morrendo... – repetiu ele com voz débil e fina e deu novo soluço. – Está morrendo porque se sacrificou... Que perda para a ciência! – disse com amargura. – Comparado a todos nós, era um portento, um homem excepcional! Que talento! Quanta esperança nos deu! – continuou Korosteliov, retorcendo as mãos. – Ó senhor meu Deus, ele se tornaria um cientista que igual não será possível encontrar, nem procurando com uma lanterna. Oska* Dýmov, Oska Dýmov o que você foi fazer! Ai, ai, meu Deus!

Desesperado, Korosteliov tapou o rosto com as mãos e ficou balançando a cabeça.

– E que força moral! – continuou ele, ficando cada vez mais exasperado com alguém. – Uma alma tão boa, pura, capaz de amar! Não era um homem, era um cristal! Serviu à ciência e morreu por causa da ciência. Trabalhava como um boi, dia e noite, e ninguém tinha pena dele. Um jovem cientista, futuro catedrático, tinha de clinicar e fazer traduções à noite para pagar por esses... trapos infames!

Korosteliov olhou com ódio para Olga Ivânovna, agarrou o lençol com as duas mãos e lhe deu um puxão, como se fosse ele o culpado.

– Ele não se poupava, e não o poupavam. É, no fundo, foi isso.

– É, um homem raro! – disse alguém com voz grave, de baixo, na sala de estar.

Olga Ivânovna lembrou-se de toda a sua vida com ele, do princípio ao fim, com todos os pormenores, e de repente compreendeu que ele era extraordinário, raro, e que, se comparado com aqueles que ela conhecia, era um grande homem. Lembrando-se de como seu pai e todos os seus colegas médicos o tratavam, ela entendeu que todos viam nele uma futura celebridade. As paredes, o teto, a lâmpada e o tapete no chão começaram a piscar para ela zombeteiramente, como se quisessem dizer: "Dormiu no ponto! Dormiu no ponto!". Chorando, ela correu para fora do quarto, esgueirou-se pela sala de estar, passou por um desconhecido e entrou no gabinete do marido. Ele estava deitado, imóvel, no divã turco, coberto até a cintura por

---
* Apelido de Ossip. (N.T.)

um cobertor. Seu rosto estava terrivelmente encovado, magro, com uma cor amarela acinzentada que as pessoas vivas jamais têm; apenas pela testa, pelas sobrancelhas negras e pelo sorriso familiar era possível saber que aquele era Dýmov. Olga Ivânovna apalpou rapidamente o peito dele, a testa e as mãos. O peito ainda estava morno, mas a testa e as mãos estavam desagradavelmente frias. Os olhos semiabertos olhavam não para Olga Ivânovna, mas para o cobertor.

– Dýmov! – gritou ela, chamando-o. – Dýmov!

Ela queria lhe explicar que tinha sido um erro, que nem tudo estava perdido, que a vida ainda poderia ser maravilhosa e feliz, que ele era uma pessoa rara, extraordinária, um grande homem, e que ela iria venerá-lo por toda a vida, rezar e olhar para ele com temor sagrado...

– Dýmov! – chamou, sacudindo-o pelos ombros, sem acreditar que ele não despertaria nunca mais. – Dýmov, Dýmov, por favor!

Na sala de estar, Korosteliov falava com a criada:

– O que há para se dizer? Vá agora mesmo à guarita da igreja e pergunte onde moram as mulheres do asilo. Elas vão lavar o corpo e limpar o quarto. Vão fazer tudo o que for necessário.

Janeiro de 1892

Anna no pescoço*

I

Após a cerimônia do casamento, não serviram nem ao menos um salgadinho; os recém-casados tomaram uma taça de champanhe, trocaram de roupa e rumaram para a estação. Em vez de um alegre baile e de uma festa de casamento com jantar, em vez de música e danças, o que haveria era uma peregrinação religiosa a um local que ficava a umas duzentas verstás dali. Muita gente apoiou tal decisão, dizendo que Modest Aleksêitch era um homem de alta posição e que já não era jovem, e um casamento ruidoso talvez pudesse parecer não muito decente; e não há muita graça em ouvir música quando um funcionário de 52 anos se casa com uma jovem que mal completara dezoito. Dizia-se também que Modest Aleksêitch, um homem de princípios, inventara essa ida ao mosteiro especialmente para dar a entender à sua jovem esposa que também no matrimônio ele colocava a religião e a moral em primeiro lugar.

Foram todos à estação para as despedidas. A multidão de colegas do noivo e os parentes lá estavam, com uma taça na mão, esperando o trem partir para gritar "Hurra!", e Piotr Leôntytch, o pai da noiva, de cartola, metido num fraque de mestre-escola, já bêbado e muito pálido, esticava o corpo e estendia para a janela do trem a sua taça, dizendo suplicante:

– Aniúta! Ânia! Ânia, quero dizer uma palavrinha.

---

* Neste título, há um jogo de palavras. Por "Anna" subentende-se uma condecoração, a ordem de Santa Anna de segundo grau, com que eram condecorados funcionários civis no regime tsarista e que era usada pendurada no pescoço. Por outro lado, em russo, a expressão "estar no pescoço de alguém" significa "ser um fardo para alguém". (N.T.)

Ânia inclinou-se da janela e ele sussurrou algo, atirando sobre ela um bafo de vinho e soprando no seu ouvido. Era impossível entender alguma coisa. Então, com a respiração entrecortada e olhos brilhantes de lágrimas, ele benzeu seu rosto, seu peito e suas mãos. Os irmãos de Ânia, Pétia e Andriúcha, alunos do ginásio, puxavam o pai por trás, pelo fraque, e sussurravam embaraçados:

– Paizinho, já chega... Paizinho, não faça isso...

Quando o trem começou a andar, Ânia viu seu pai dar uma corridinha atrás do vagão, cambaleando e respingando o vinho da taça, e sentiu muita pena de sua expressão bondosa e culpada.

– Hurra! – gritou ele.

Os recém-casados ficaram a sós. Modest Aleksêitch examinou a cabine, arrumou suas coisas nas prateleiras e sentou sorridente em frente de sua jovem esposa. Era um funcionário público de estatura mediana, bastante gordo, inchado, bem-alimentado, com suíças compridas e sem bigodes, e seu queixo barbeado, redondo, fortemente torneado, parecia um calcanhar. Sua principal característica era a ausência de bigodes: um lugar nu, recém-escanhoado, que pouco a pouco se fundia com as bochechas gordas, trêmulas como gelatina. Sua postura era respeitável e grave, movia-se devagar e seus modos eram suaves.

– Não posso deixar de me lembrar de um fato – disse ele sorrindo. – Cinco anos atrás, quando Kossorótov recebeu a ordem de Santa Anna de segundo grau e foi agradecer a Sua Alteza, este se expressou assim: "Quer dizer que o senhor tem agora três Annas: uma na lapela e duas no pescoço". Devo dizer, que por esse tempo, a esposa de Kossorótov, cujo nome era Anna, uma pessoa impertinente e leviana, acabara de voltar para ele. Espero que, quando eu receber a Anna de segundo grau, Sua Alteza não tenha motivos para me dizer o mesmo.

Ele sorria com seus olhinhos miúdos. Ela também sorria, apavorada com a ideia de que aquele homem poderia a qualquer momento beijá-la com seus lábios grossos e úmidos e que ela já não tinha o direito de lhe recusar. Os modos suaves do seu corpo balofo lhe davam medo; ela sentia pavor e nojo. Ele se levantou sem pressa, tirou a medalha do pescoço, despiu o fraque e o colete e vestiu um robe.

– É isso – disse ele, sentando-se ao lado dela.

Ânia estava se lembrando de como tinha sido torturante a cerimônia do casamento e de sua impressão de que tanto o padre como os convidados, bem como todos na igreja, olhavam com pena para ela, se perguntando: por que, por qual motivo uma jovem tão graciosa e bonita está se casando com um senhor tão velho e desinteressante? Ainda pela manhã ela estava empolgada porque tudo tinha dado certo, mas, na hora do casamento e também agora, no trem, sentia-se culpada, enganada e ridícula. Ela se casou com um homem rico, mas continuava sem dinheiro; tivera de se endividar para encomendar o vestido de noiva e, naquele dia, quando o pai e os irmãos foram se despedir dela, estava estampado nos seus rostos que eles não tinham nem um copeque. Será que eles vão ter jantar hoje? E amanhã? E ela tinha a impressão de que seu pai e os meninos estavam em casa com fome, sem ela, com a mesma tristeza que sentiram na primeira noite após o enterro da mãe.

"Oh, como sou infeliz!" – pensava ela. – "Por que sou tão infeliz?"

Com a falta de tato do homem importante que não tem costume de lidar com mulheres, Modest Aleksêitch pegava-a pela cintura e lhe dava tapinhas no ombro, enquanto ela pensava em dinheiro, na mãe e na morte desta. Quando sua mãe morreu, o pai, Piotr Leôntytch, professor de caligrafia e desenho no ginásio, pôs-se a beber, e eles começaram a passar necessidade. Os garotos não tinham botas e galochas; o pai foi levado à presença do juiz de paz, apareceu um oficial de justiça e fez um inventário dos móveis... Que vergonha! Ânia tinha de cuidar do pai beberrão, remendar as meias dos irmãos, fazer compras no mercado e, quando alguém elogiava sua beleza, sua juventude e suas maneiras finas, ela tinha a impressão de que o mundo inteiro estava vendo seu chapéu barato e os furos em sua botina, que ela pintava com tinta. E todas as noites ela tinha o mesmo pensamento, obsessivo e preocupante, de que muito em breve seu pai seria demitido do ginásio por causa do seu vício e de que ele não suportaria isso e também morreria, como sua mãe. Foi então que algumas senhoras conhecidas começaram a agir e a procurar um bom marido para Ânia. Logo encontraram esse mesmo Modest Aleksêitch, que não era jovem nem bonito, mas tinha dinheiro. Ele possuía no banco uns cem mil rublos e tinha ainda uma propriedade de família que estava arrendada. "É um homem de princípios e Sua Alteza tem dele boa opinião. Não lhe custaria nada", diziam a Ânia, "pedir a Sua Alteza que escreva um bilhetinho para o diretor do ginásio, ou até mesmo para o curador, recomendando que não despeçam Piotr Leôntytch..."

Ela estava recordando esses pormenores quando, de repente, uma música invadiu a cabine, misturada com ruídos de vozes. O trem havia parado numa estação secundária. Na plataforma, no meio da multidão, músicos tocavam animadamente uma sanfona e um violino barato e estridente. De longe, lá de trás das altas bétulas e dos álamos, além das casas de campo iluminadas pelo luar, vinha o som de uma banda militar: provavelmente estavam dando uma festa com baile em alguma casa. Na plataforma, passeavam veranistas e habitantes da cidade que tinham vindo aproveitar o bom tempo e respirar ar puro. Também estava lá Artýnov, proprietário de toda essa área de veraneio, um homem moreno, rico, alto, cheio de corpo, com tipo de armênio e olhos saltados, vestido com uma roupa esquisita: usava uma camisa desabotoada no peito, botas altas com esporas, e dos ombros descia uma capa preta que se arrastava pelo chão, parecendo um manto. Atrás dele, com seus focinhos pontiagudos apontados para baixo, caminhavam dois cães da raça borzói.

Ânia ainda tinha lágrimas nos olhos, mas já não pensava nem na mãe, nem em dinheiro, nem no seu casamento. Apertava a mão de ginasianos e oficiais, conhecidos seus, ria alegremente e dizia, animada:

– Boa noite! Como vai?

Ela desceu à plataforma, iluminada pela lua, e ficou de pé de modo que todos a vissem no seu novo e magnífico vestido e de chapéu.

– Por que estamos parados aqui? – perguntou ela.

– Aqui há um desvio, estão esperando o trem postal – responderam-lhe.

Ao perceber que Artýnov a olhava, ela semicerrou os olhos com malícia e começou a falar alto em francês. E porque sua própria voz lhe soava tão maravilhosa, porque a música retumbava e a lua se refletia no lago, porque Artýnov, conhecido *Don Juan* e pândego, a encarava avidamente e com curiosidade, porque todos estavam alegres, de repente ela sentiu alegria e, quando o trem começou a se mover e os oficiais seus conhecidos lhe fizeram continência, ela já cantarolava uma polca, acompanhando os sons que lhe enviava a banda militar, de algum lugar atrás das árvores; ela voltou para a sua cabine, sentindo-se como se, naquela estação, a tivessem convencido de que, apesar dos pesares, inevitavelmente ela seria feliz.

Os recém-casados ficaram dois longos dias no mosteiro e depois regressaram à sua cidade. Foram morar num apartamento do governo. Quando Modest Aleksêitch saía para o trabalho, Ânia ou tocava piano, ou chorava de tédio, ou deitava-se no canapé e lia um romance, ou folheava revistas de moda. Durante o almoço, Modest Aleksêitch comia muito e falava de política, nomeações, transferências e condecorações. Dizia que era necessário trabalhar, que a vida familiar não é um prazer e sim um dever, que de tostão em tostão se faz um milhão e que, acima de tudo no mundo, ele colocava a religião e a moral. E, empunhando a faca como uma espada, dizia:

– Cada um deve ter suas obrigações!

Ânia ouvia, ficava com medo e não conseguia comer, levantando-se da mesa quase sempre com fome. Depois do almoço, o marido descansava, roncava alto, e ela saía para visitar seus familiares. O pai e os meninos olhavam para ela de um jeito estranho, como se pouco antes de sua chegada a tivessem criticado por ter se casado por dinheiro com um homem que ela não amava, com um sujeito aborrecido e tedioso. O farfalhar de seu vestido, os braceletes e, em geral, todo o seu aspecto de dama os ofendiam; na presença dela ficavam um pouco confusos e não sabiam sobre o que conversar; porém, continuavam a amá-la como antes e ainda não haviam se acostumado a almoçar sem ela. Ânia sentava-se, comia com eles *schi*, cacha* e batatas fritas em gordura de carneiro, que tinha cheiro de vela. Piotr Leôntytch, segurando com a mão trêmula a pequena licoreira, enchia seu cálice e bebia de um gole, com avidez e repugnância, depois bebia outro cálice, depois um terceiro... Pétia e Andriúcha, meninos magrinhos e pálidos, de olhos grandes, tomavam dele a licoreira e diziam, embaraçados:

– Você não devia, paizinho... Já chega, paizinho...

Ânia também se preocupava e suplicava-lhe que não bebesse mais, mas ele de repente ficava furioso, dava um soco na mesa e gritava:

– Não permito que ninguém fique me vigiando! Moleques! Menina! Eu expulso vocês todos daqui!

Mas na sua voz havia fraqueza e bondade, e ninguém tinha medo dele. Depois do almoço, geralmente ele se arrumava. Pálido, com um corte no queixo, conseguido quando

---

* Ver nota da página 43. (N.T.)

se barbeava, ele espichava o pescoço descarnado e ficava meia hora diante do espelho se embelezando, ora se penteando, ora retorcendo os bigodes negros; borrifava-se com perfume, dava um laço na gravata, depois colocava as luvas e a cartola e saía para dar aulas particulares. Nos feriados, ele ficava em casa, pintando ou tocando uma harmônica que chiava e mugia; ele tentava tirar dela sons limpos e harmoniosos, cantarolando junto, ou então xingava os meninos:

– Canalhas! Patifes! Estragaram o instrumento!

À noite, o marido de Ânia jogava cartas com seus colegas de trabalho, que moravam no mesmo prédio do governo. Durante o jogo, as mulheres dos funcionários se reuniam, todas elas feias, vestidas com mau gosto, mal-educadas como as cozinheiras, e tinham início os mexericos, também feios e de mau gosto como as esposas dos funcionários. Às vezes, Modest Aleksêitch levava Ânia ao teatro. Nos intervalos não se afastava nem um passo dela, conduzindo-a pelo braço através dos corredores e do *foyer*. Quando cumprimentava alguém, imediatamente ele cochichava para Ânia: "É conselheiro de Estado... Sua Alteza o recebe pessoalmente..." Ou: "Tem muito dinheiro... Tem casa própria..." Quando passavam perto do bufê, Ânia tinha vontade de comer alguma coisa doce; ela gostava de chocolate e de torta de maçã, mas não tinha dinheiro e ficava envergonhada de pedir ao marido. Ele pegava uma pera, apertava-a nos dedos e perguntava hesitante:

– Quanto custa?

– Vinte e cinco copeques.

– Imagine! – dizia ele, colocando a pera no lugar; porém, como ficava feio sair do bufê sem comprar nada, pedia uma água mineral gasosa e bebia sozinho toda a garrafa, com lágrimas brotando dos olhos, e nesse momento Ânia o odiava.

Ou então ele ficava de repente todo vermelho e dizia afobado:

— Incline-se para esta velha dama!
— Mas eu não a conheço!
— Não importa. É a esposa do diretor do departamento provincial do tesouro! Incline-se, estou mandando! — rosnava ele insistentemente. — Sua cabeça não vai cair por isso.

Ânia se inclinava e sua cabeça realmente não caía, mas aquilo era um martírio para ela. Fazia tudo que seu marido queria e ficava furiosa consigo mesma pelo fato de que ele a enganara como a uma perfeita tolinha. Ela se casara com ele apenas por dinheiro, porém agora ela tinha menos dinheiro do que antes de se casar. Naquela época, pelo menos o pai lhe dava moedas de vinte copeques, mas agora ela não tinha uma mísera moedinha. Pegar às escondidas ou pedir ela não ousava, pois tremia de medo do marido. Ela tinha a impressão de que esse terror vinha de muito tempo. Houve uma época, na sua infância, em que a força mais imponente e terrível, que avançava como uma nuvem negra ou como uma locomotiva, pronta para esmagar, sempre fora para ela o diretor do ginásio; outra força de que sempre falavam em casa e que, por alguma razão, era temida, era Sua Alteza. E houve ainda uma dezena de forças menores, entre as quais professores do ginásio, de bigodes raspados, severos, impiedosos, e agora, finalmente, Modest Aleksêitch, um homem de princípios, cujo rosto era até parecido com o do diretor do ginásio. Na imaginação de Ânia, todas essas forças se fundiam em uma única que, na forma de um enorme e terrível urso branco, avançava sobre os fracos e culpados como seu pai, e ela temia dizer alguma coisa contra, sorria forçado e fingia prazer quando a acariciavam de modo grosseiro e a maculavam com abraços que lhe causavam pavor.

Apenas uma vez Piotr Leôntytch ousou pedir ao genro cinquenta rublos emprestados a fim de pagar uma dívida muito desagradável. Mas quanto sofrimento!

— Está bem, vou lhe emprestar — disse Modest Aleksêitch, depois de refletir —, mas previno-o de que não vou ajudá-lo mais enquanto o senhor não parar de beber. Para um homem que trabalha para o governo, é uma vergonha tal fraqueza. Não posso deixar de lembrar-lhe o fato, de conhecimento geral, de que muitas pessoas capazes foram destruídas por esse vício e de que, com a abstinência, talvez, com o tempo, elas pudessem ter alcançado uma alta colocação.

E seguiram-se períodos intermináveis: "à medida que...", "partindo-se do pressuposto de que...", "em vista do que se acabou de dizer...". E o pobre Piotr Leôntytch sofria com a humilhação e sentia uma vontade terrível de beber.

Também os meninos eram obrigados a ouvir lições de moral, quando vinham visitar Ânia, habitualmente com botinas rasgadas e calças surradas.

– Cada pessoa deve ter suas obrigações! – dizia-lhes Modest Aleksêitch.

E não lhes dava dinheiro. Em compensação, presenteava Ânia com anéis, pulseiras e broches, dizendo-lhe que é bom possuir essas coisas para eventuais dias negros. E volta e meia ele abria a gaveta e fazia uma inspeção para ver se todas as coisas estavam ali, intactas.

II

Nesse meio-tempo, chegou o inverno. Bem antes do Natal, o jornal local comunicou que no dia 29 de dezembro, na câmara dos nobres, "terá lugar o costumeiro baile de inverno". Todas as noites, terminado o jogo de cartas, Modest Aleksêitch cochichava agitado com seus colegas funcionários e olhava com preocupação para Ânia. Depois, ficava muito tempo andando de um lado para o outro, pensando. Finalmente, uma certa noite, bem tarde, ele parou diante de Ânia e disse:

– Você deve mandar fazer um vestido de baile. Entendeu? Mas antes, por favor, aconselhe-se com Mária Grigórevna e com Natália Kuzmínitchna.

E lhe deu cem rublos. Ela pegou o dinheiro; porém, ao encomendar o vestido de baile, não pediu o conselho de ninguém. Falou apenas com seu pai e tentou imaginar como sua mãe se vestiria para o baile. Sua finada mãe se vestia de acordo com a última moda. Cuidava também de Ânia, vestindo-a muito bem, como uma boneca. Ainda ensinou-a a falar francês e a dançar maravilhosamente a mazurca (antes de se casar, ela trabalhara cinco anos como governanta). Do mesmo modo que sua mãe, Ânia sabia de um vestido velho fazer um novo, limpar as luvas com benzina, alugar joias; como sua mãe, sabia semicerrar os olhos, falar com um sotaque gutural, fazer belas poses e, quando necessário, demonstrar júbilo ou parecer triste e misteriosa. Do pai, por outro lado, ela herdara os cabelos e olhos escuros, o nervosismo e o costume de andar sempre embonecada.

Meia hora antes da partida para o baile, quando Modest Aleksêitch entrou no quarto dela sem casaca, a fim de se ver no espelho grande e colocar no pescoço sua condecoração, ficou fascinado com sua beleza e com o brilho e frescor de seu vestido vaporoso. Ele cofiou suas suíças, satisfeito, e disse:

— Mas então é assim que você é... Veja só como você é!

Mas de repente caiu outra vez no tom solene:

— Aniúta! Eu fiz você feliz, e hoje você pode me fazer feliz também. Eu lhe peço, apresente-se à esposa de Sua Alteza! Pelo amor de Deus! Por meio dela eu posso conseguir o cargo de relator-chefe!

Partiram para o baile. Lá estava a câmara dos nobres, a porta principal com porteiro, o vestíbulo com os cabides, os casacos de pele, lacaios atarefados, senhoras de vestidos decotados cobrindo-se com os leques por causa do vento encanado; havia um cheiro de gás de iluminação e de soldados. Ao subir as escadas de braço com o marido, Ânia ouviu a música e viu-se de corpo inteiro no imenso espelho, iluminada por centenas de luzes, e no seu coração a alegria despertou, assim como aquele mesmo pressentimento de felicidade que sentira naquela noite enluarada na estação. Ela caminhava orgulhosa, segura de si, pela primeira vez sentindo-se não uma menina, mas uma dama e, sem querer, imitava sua finada mãe nas maneiras e no modo de andar. Pela primeira vez na vida, sentiu-se rica e livre. Nem mesmo a presença do marido a constrangia, pois, ao transpor a porta da câmara, instintivamente ela adivinhou que a proximidade de um marido idoso não a diminuía nem um pouco; ao contrário, acrescentava-lhe um quê de mistério picante, bem ao gosto dos homens. No grande salão já retumbava a orquestra e haviam dado início às danças. Esquecendo-se do apartamento do governo, envolvida pelas impressões das luzes, do colorido, da música, do barulho, Ânia lançou um olhar pelo salão e pensou: "Ah! Que coisa boa!" – e imediatamente localizou na multidão seus conhecidos: todos aqueles que antigamente ela encontrava nas festas e nos passeios, todos os oficiais, professores, advogados, funcionários, proprietários de terras, Sua Alteza, Artýnov e damas da alta sociedade, ataviadas, com grandes decotes, algumas belas, outras horrorosas, que já ocupavam seus lugares nas barraquinhas e nos pavilhões do bazar beneficente a fim de iniciar as vendas para ajudar os pobres.

Um enorme oficial com dragonas (ela o havia conhecido na rua Staro-Kíevskaia, quando era aluna do ginásio, e agora não se recordava do seu sobrenome) como que surgido do fundo da terra convidou-a para a valsa, e ela saiu voando para longe do marido, já com a impressão de que navegava num barco a vela durante uma forte tempestade e de que seu esposo tinha ficado distante, na margem... Ela dançava com paixão, com arrebatamento, dançou a valsa, a polca, a quadrilha, passando de mão em mão, embriagando-se com a música e o barulho, misturando o russo com o francês, com uma pronúncia gutural, rindo, sem pensar nem no marido nem em coisa alguma. Fazia sucesso com os homens, isso era evidente, e não poderia ser de outra maneira. Ofegante de emoção, apertava febrilmente o leque nas mãos e sentia sede. Seu pai, Piotr Leôntytch, metido num fraque amarrotado cheirando a benzina, aproximou-se e lhe estendeu um pratinho com um sorvete vermelho.

–Você está encantadora hoje – disse ele, olhando fascinado para ela –, e nunca lamentei tanto que você tenha se apressado em se casar... Para quê? Eu sei que você fez isso por nós, mas...

Com as mãos trêmulas, ele tirou do bolso um maço de notas e disse:

– Hoje recebi o pagamento pelas minhas aulas e posso quitar a dívida com seu marido.

Ela enfiou o pratinho na mão dele e saiu nos braços de alguém, rodopiando para longe, e, de relance, por cima do ombro do seu cavalheiro, viu o pai deslizar pelo assoalho, abraçar uma dama e sair dançando pelo salão.

"Como ele é agradável quando está sóbrio!", pensava Ânia.

Ela dançou a mazurca com aquele mesmo oficial enorme. Este, com ar importante, dava passos pesados e parecia um elefante de farda. Ele caminhava, encolhia os ombros e estufava o peito, marcava com má vontade o compasso com o pé – não demonstrava o menor desejo de dançar. Já ela, esvoaçava ao seu redor, provocando-o com sua beleza, seu pescoço nu. Seus olhos flamejavam, fogosos, e ela se movia com paixão, enquanto ele ficava cada vez mais indiferente e estendia-lhe a mão com benevolência, como um rei.

– Bravo! Bravo! – ouvia-se do público.

Aos poucos, porém, o enorme oficial não resistiu: animou-se, agitou-se e, já enfeitiçado, foi levado pelo arrebatamento, pondo-se a deslizar com facilidade, igual a um rapazinho, mas ela apenas encolhia os ombros e lançava-lhe uns olhares maliciosos, como se a rainha agora fosse ela e ele fosse seu escravo. Nesse momento, ela tinha a impressão de que todo o salão olhava para eles e de que todas aquelas pessoas estavam fascinadas e os invejavam. Mal o enorme oficial acabara de agradecer pela dança, o público de repente se moveu, abrindo passagem, e os homens se empertigaram de modo estranho, abaixando os braços... Era Sua Alteza, de fraque, com duas estrelas no peito, que caminhava em direção a Ânia. Isso estava acontecendo de verdade, Sua Alteza ia precisamente na direção dela, porque olhava diretamente para ela, de frente, sorrindo com doçura e mordendo os lábios, o que ele sempre fazia quando via mulheres bonitas.

– Tenho muito prazer, tenho muito prazer... – começou ele. – Mas vou mandar prender seu marido no quartel por ter escondido até agora este tesouro. Tenho uma incumbência para a senhora de parte de minha esposa – disse, oferecendo-lhe o braço. – A senhora deve nos ajudar... Hum... Precisamos oferecer à senhora um prêmio pela beleza... como na América... Esses americanos!... Minha esposa a espera ansiosa.

Ele a conduziu a uma barraquinha onde estava uma senhora idosa, que tinha a parte inferior do rosto tão grande e desproporcional que parecia estar com uma grande pedra dentro da boca.

– Venha nos ajudar – disse ela, com uma voz arrastada e fanhosa. – Todas as mocinhas bonitas estão trabalhando no bazar beneficente, somente a senhora está se divertindo. Por que não quer nos ajudar?

Ela se foi e Ânia ocupou seu lugar ao lado do samovar de prata e das xícaras. Imediatamente as vendas se animaram. Ânia não aceitava menos do que um rublo por uma xícara de chá e obrigou o enorme oficial a tomar três. Da sua barraquinha aproximou-se Artýnov, o ricaço de olhos saltados, que sofria de falta de ar e que já não estava com aquelas roupas estranhas com as quais Ânia o tinha visto no verão, mas sim de fraque, como todo mundo. Sem tirar os olhos dela, ele tomou uma taça de champanhe, pagan-

do cem rublos por ela, depois tomou chá e deu mais cem
– e tudo isso calado, sofrendo com a asma. Ânia chamava
os fregueses para o chá e tomava o dinheiro deles, pro‑
fundamente convencida de que seu sorriso e seus olhares
proporcionavam a essas pessoas um grande prazer. Ela já
se dera conta de que fora criada exclusivamente para essa
vida ruidosa, com brilho, risos, música, danças e admi‑
radores, e o velho medo que ela tinha daquela força, que
avançava e ameaçava subjugá-la, agora lhe parecia ridícu‑
lo. Ela já não tinha medo de ninguém e apenas lamentava
não ter mais a mãe, que ficaria feliz ao lado dela por seu
sucesso.

Piotr Leôntytch, já pálido, mas ainda com as pernas
firmes, aproximou-se de sua barraquinha e pediu um cáli‑
ce de conhaque. Ânia corou, esperando que ele fosse dizer
alguma coisa inconveniente (ela já sentia vergonha por ter
um pai tão pobre e vulgar), mas ele tomou o conhaque e
atirou-lhe dez rublos que tirou do seu maço, afastando-se
com ar importante sem dizer uma palavra. Algum tempo
depois ela o viu entrar com seu par no *grand rond*, mas des‑
ta vez ele já cambaleava um pouco e soltava uns gritos, para
grande embaraço de sua dama. Ânia lembrou-se de que três
anos antes, num baile, ele também cambaleara e dera gritos
e, no final, o chefe de polícia o levou para casa para dormir;
no dia seguinte, o diretor ameaçou despedi-lo do emprego.
Como era inoportuna essa lembrança!

Depois que os samovares nas barraquinhas foram
apagados e que as exaustas senhoras beneméritas entrega‑
ram o produto das vendas para a dama idosa com a pe‑
dra na boca, Artýnov conduziu Ânia pelo braço ao salão
onde estava servida a ceia para os participantes do bazar
beneficente. Havia umas vinte pessoas na ceia, não mais do
que isso, mas o barulho era enorme. Sua Alteza propôs um
brinde: "Nesta mesa luxuosa é oportuno beber pelo flores‑
cimento das cantinas populares, motivo do atual bazar".
Um general de brigada propôs que se bebesse "por aquela

força, diante da qual até a artilharia se rende", e todos os homens esticaram os braços para brindar com as damas. Foi muito, muito divertido!

Quando levaram Ânia para casa, já começava a clarear, e as cozinheiras se dirigiam para o mercado. Feliz, meio tonta, cheia de novas impressões, exausta, ela se despiu, caiu na cama e imediatamente adormeceu...

Já passava da uma da tarde quando a criada veio acordá-la e disse que o senhor Artýnov estava lá; viera fazer uma visita. Ela se vestiu às pressas e rumou para a sala. Logo depois de Artýnov, chegou Sua Alteza, para agradecer sua participação no bazar beneficente. Olhando para ela meloso, mexendo a boca como se mastigasse, ele beijou sua mão e pediu permissão para voltar, partindo em seguida. Ela ficou parada no meio da sala, perplexa e fascinada, sem acreditar que a mudança na sua vida, uma mudança surpreendente, tivesse acontecido tão rápido; nesse momento, chegou seu marido, Modest Aleksêitch... Ele também estava agora ali, parado diante dela, com aquela expressão bajuladora, servil e respeitosa que ela estava acostumada a ver quando ele se encontrava na presença dos poderosos e superiores; e, com indignação e desprezo, segura de que nada lhe aconteceria por isso, ela disse, extasiada, pronunciando com nitidez cada palavra:

— Saia daqui, bobalhão!

Daí em diante, Ânia não teve mais nem um dia livre. Participava ora de um piquenique, ora de um passeio, ora de algum espetáculo. Diariamente voltava para casa de madrugada, deitava-se no chão na sala de visitas, depois contava a todos, de modo comovente, que dormira debaixo das flores. Necessitava de muito dinheiro, mas já não temia Modest Aleksêitch e gastava o dinheiro dele como se fosse seu; e não pedia nem exigia, apenas lhe mandava as contas ou um bilhetinho: "Entregue ao portador desta duzentos rublos", ou "Pague imediatamente cem rublos".

Na Páscoa, Modest Aleksêitch recebeu a "Anna" de segundo grau. No momento em que foi agradecer, Sua Alteza pôs de lado o jornal e afundou-se na poltrona.

– Quer dizer que o senhor tem agora três Annas – disse ele, fitando as mãos brancas com unhas rosadas –, uma na lapela e duas no pescoço.

Modest Aleksêitch colocou dois dedos sobre os lábios, por precaução, para não soltar um riso alto, e disse:

– Agora me resta esperar o nascimento do pequeno Vladímir. Ouso pedir a Vossa Alteza que seja o parteiro.

Isso era uma indireta a propósito da ordem de São Vladímir* de quarto grau, e ele já se imaginava contando para todos os conhecidos o seu trocadilho, tão feliz e ousado, mas Sua Alteza mergulhou novamente no jornal e fez-lhe um aceno de cabeça.

Quanto a Ânia, ela passeava de troica**, ia caçar com Artýnov, atuava em pequenas peças, ia a jantares e via sua família cada vez mais raramente.

Eles já almoçavam sem ela. Piotr Leôntytch bebia ainda mais do que antes, vivia sem dinheiro, já fazia tempo que a harmônica fora vendida para pagar uma dívida. Os meninos não o deixavam sair de casa sozinho e o seguiam o tempo todo para evitar que ele caísse; e, quando passavam de carro pela rua Staro-Kíevskaia e cruzavam com Ânia, que ia numa parelha, de pé, segurando as rédeas, com Artýnov na boleia em vez do cocheiro, Piotr Leôntytch tirava a cartola e queria gritar alguma coisa, mas Pétia e Andriúcha o seguravam pelo braço e suplicavam:

– Não faça isso, paizinho... Já chega, paizinho...

Outubro de 1895

---

* Na Rússia, os funcionários condecorados com a ordem de São Vladímir automaticamente se tornavam membros da nobreza hereditária. (N.T.)

** Ver nota da página 46. (N.T.)

Iônytch*

I

Na cidade de província S., quando os forasteiros queixavam-se do tédio e da vida monótona, os habitantes locais, como que desejando justificar-se, diziam que, pelo contrário, S. era uma cidade muito boa, que lá havia biblioteca, teatro, clube, bailes e, por fim, que havia pessoas inteligentes, interessantes e agradáveis, com as quais era possível fazer amizade. E indicavam os Túrkin como a família mais culta e talentosa do lugar.

Essa família morava na rua principal, perto da residência do governador, em casa própria. O pai, Ivan Petróvitch Túrkin, era um homem robusto e bonito, de cabelos negros e costeletas, que organizava espetáculos de teatro amador com fins beneficentes, nos quais ele próprio interpretava generais idosos e, ao fazê-lo, tossia de maneira muito engraçada. Conhecia muitas anedotas, charadas e provérbios; gostava de fazer gracejos e dizer coisas espirituosas, e seu rosto tinha sempre uma expressão tal que era impossível saber se ele estava brincando ou falando sério. Sua esposa, Vera Iôssifovna, uma dama esbelta e bonita, de pincenê, escrevia novelas e romances que lia com prazer para suas visitas. A filha, Iekaterina Ivânovna, era jovem e tocava piano. Em suma, cada membro da família tinha um dom. Os Túrkin recebiam as visitas cordialmente, com alegria, e exibiam seus talentos com amável simplicidade. Sua grande casa de alvenaria era espaçosa e fresca no verão: metade das janelas dava para o velho e sombreado jardim onde, na

---

* Patronímico formado a partir do nome Iona (Jonas). Informalmente, às vezes os russos usam apenas o patronímico, sem o primeiro nome. (N.T.)

primavera, cantavam rouxinóis; quando havia visitas, ouviam-se da cozinha batidas de facas e chegava até o pátio o cheiro de cebola frita – e isso era sempre o prenúncio de um jantar farto e saboroso.

Também ao doutor Dmítri Iônytch Stártsev foi dito que um intelectual como ele precisava conhecer os Túrkin, logo após ele se instalar em Diálij, a nove verstás de S., recém-nomeado médico do *zemstvo*. Certa ocasião, no inverno, ele foi apresentado na rua a Ivan Petróvitch. Falaram sobre o tempo, o teatro, o cólera, e a conversa terminou com um convite. Na primavera, num feriado (era o dia da Ascensão), depois de dar consulta aos doentes, Stártsev dirigiu-se à cidade a fim de se distrair um pouco e aproveitar para fazer umas comprinhas. Foi a pé, sem pressa (ele ainda não tinha cavalos), e cantarolava sem parar:

> *Quando eu ainda não tinha bebido da taça da vida...*

Na cidade, ele almoçou, deu um pequeno passeio pelo jardim público, depois casualmente se lembrou do convite de Ivan Petróvitch e resolveu dar uma chegada à casa dos Túrkin para ver que tipo de gente eles eram.

– Boa tarde, por favor – disse Ivan Petróvitch, recebendo-o na entrada. – Fico muito, muito feliz de receber uma visita tão agradável. Venha, vou apresentá-lo à minha cara-metade. Eu disse a ele, Vérotchka – continuou Ivan Petróvitch, apresentando o doutor à esposa –, eu disse que ele não tem nenhum *direito romano* de ficar trancado no seu hospital, que ele deve doar seu lazer à sociedade. Não é verdade, meu bem?

– Sente-se aqui – disse Vera Iôssifovna, fazendo-o sentar-se perto de si. – O senhor pode me cortejar. Meu marido é ciumento, é um Otelo, mas tentaremos nos comportar de maneira que ele não perceba.

— Ah, minha franguinha sapeca... — sussurrou ternamente Ivan Petróvitch, beijando-a na testa. — O senhor veio na hora certa — dirigiu-se ele novamente ao visitante —, minha cara-metade escreveu um romance *granducho* e hoje vai ler para nós.

— *Jeantchik** — disse Vera Iôssifovna ao marido —, *dites que l'on nous donne du thé.***

Stártsev foi apresentado a Iekaterina Ivânovna, uma moça de dezoito anos muito parecida com a mãe e igualmente esbelta e bonita. Ela ainda tinha uma expressão infantil no rosto e cinturinha fina; seu busto virginal, mas já desenvolvido, belo e saudável, lembrava a verdadeira primavera. A seguir, tomaram chá com geleia, mel, bombons e uns biscoitos muito gostosos, que derretiam na boca. À medida que caía a noite, as visitas foram chegando, e a cada uma Ivan Petróvitch dirigia seu olhar sorridente e dizia:

— Boa noite, por favor.

Depois todos se sentaram na sala de visitas, com rostos muito sérios, e Vera Iôssifovna leu seu romance. Ela começou assim: "O frio aumentava...". Ali, na sala, as janelas estavam abertas de par em par, ouviam-se as batidas de facas na cozinha, vinha um cheiro de cebola frita... Sentia-se sossego nas poltronas fundas e macias, na penumbra da sala as luzes piscavam de um modo tão aconchegante... E numa noite de verão, quando da rua chegavam sons de vozes e risos e do jardim vinha um perfume de lilás, era difícil entender como o frio aumentava, como o sol poente iluminava com seus raios frios a planície nevada e o caminhante solitário que ia pela estrada. Vera Iôssifovna falava de uma jovem e bela condessa que organizava na sua aldeia escolas, hospitais, bibliotecas, e de como ela se apaixonara por um pintor itinerante — lia sobre coisas que jamais acontecem

---

* Palavra composta do nome *Jean*, do francês (equivalente a Ivan), com o sufixo diminutivo russo -*tchik*. (N.T.)

** Diga que nos tragam o chá. (francês) (N.A.)

na vida e, apesar disso, era agradável ouvir, era confortável, vinham à cabeça pensamentos bons e tranquilos – e não dava vontade de se levantar dali...

– *Nadamalo...* – disse Ivan Petróvitch baixinho.

E uma das visitas que, ao ouvir, transportava-se em pensamento para algum lugar muito, muito longe, sussurrou:

– É, de fato.

Passou-se uma hora, mais outra. Nas redondezas, no jardim municipal, tocava uma orquestra e um coral cantava. Quando Vera Iôssifovna fechou seu caderno, todos ficaram uns cinco minutos em silêncio, ouvindo o coral, que entoava *A pequena acha de lenha**, e essa canção transmitia aquilo que não havia no romance, mas existia na vida real.

– A senhora publica suas obras em revistas? – perguntou Stártsev a Vera Iôssifovna.

– Não – respondeu ela –, não publico em lugar nenhum. Escrevo e escondo no meu armário. Para que publicar? – explicou ela. – Nós temos posses.

E, por alguma razão, todos suspiraram.

– Agora, Gatinha, toque alguma coisa – disse Ivan Petróvitch à filha.

Ergueram a tampa do piano de cauda, abriram as partituras, que já estavam preparadas de antemão. Iekaterina Ivânovna sentou-se e golpeou as teclas com ambas as mãos; depois tornou a golpeá-las com toda a força, e golpeou mais uma vez, e outra mais. Os ombros e o peito dela estremeceram; ela batia teimosamente, sempre no mesmo lugar, parecia que não iria parar enquanto não enfiasse as teclas para dentro do piano. A sala foi invadida por trovoadas; tudo retumbava: o chão, o teto, os móveis... Iekaterina Ivânovna tocava um trecho difícil, interessante exatamente por sua dificuldade, longo e sempre igual, e, ouvindo,

---

* Canção folclórica russa que fala basicamente de solidão, com o motivo da acha de lenha que iluminava as pobres casas dos camponeses. (N.T.)

Stártsev imaginava pedras despencando de uma montanha muito alta, despencando sem parar, e seu desejo era que elas terminassem de cair o mais rápido possível; porém, ao mesmo tempo, Iekaterina Ivânovna, corada pela tensão, forte e enérgica, com uma mecha de cabelo caindo sobre a testa, agradava-o muito. Depois do inverno passado em Diálij entre doentes e camponeses, estar em uma sala de visitas, vendo essa criatura jovem, linda e provavelmente pura, e ouvindo esses sons barulhentos e enfadonhos, mas que exalavam cultura, era algo tão agradável, tão novo...

– Muito bem, Gatinha, você hoje tocou como nunca! – disse Ivan Petróvitch com lágrimas nos olhos, quando a filha terminou e se levantou. – Nem morrendo, Denis, você escreveria melhor!*

Todos a rodearam, felicitando-a, demonstrando admiração, afirmando que havia muito tempo que não ouviam uma música assim, e ela ouvia sem dizer nada, sorrindo levemente, mas em toda a sua figura estava estampado o triunfo.

– Maravilhoso! Formidável!

– Maravilhoso! – disse também Stártsev, rendendo-se ao entusiasmo geral. – Onde a senhorita estudou música? – perguntou ele a Iekaterina Ivânovna. – No conservatório?

– Não, para o conservatório eu ainda pretendo ir, mas até agora estudei aqui, com madame Zavlóvskaia.

– A senhorita terminou o ginásio aqui?

– Oh, não! – respondeu por ela Vera Iôssifovna. – Nós convidávamos os professores à nossa casa; no ginásio ou no colégio para moças, o senhor há de convir que poderia haver más influências. Enquanto está na fase de crescimento, a menina deve ter somente a influência da mãe.

---

* Esta frase, que se tornou um aforismo, teria sido pronunciada pelo príncipe Grigóri Potiómkin, dirigindo-se a Denis Fonvízin (1745-1792), grande dramaturgo russo da época do classicismo, assim que este terminou a leitura de sua comédia *O adolescente*, que satiriza a má educação dos jovens. (N.T.)

— Mas para o conservatório eu vou — disse Iekaterina Ivânovna.

— Não, Gatinha ama sua mãe. Gatinha não há de causar desgosto ao papai e à mamãe.

— Não, eu vou! Eu vou! — disse Iekaterina Ivânovna, em tom de brincadeira, bancando a caprichosa e batendo o pezinho no chão.

Durante o jantar, foi a vez de Ivan Petróvitch mostrar seus talentos. Rindo apenas com os olhos, ele contou anedotas, fez humor, propôs charadas divertidas que ele mesmo resolvia e falava o tempo todo com sua linguagem fora do comum, que ele havia elaborado através de longos exercícios de humorismo e que, pelo visto, tinha se tornado habitual nele: *granducho*, *nadamalo*, agradeço *pendurado*...

Mas isso ainda não era tudo. Quando as visitas, felizes e de barriga cheia, se acotovelavam na antessala, procurando seus agasalhos e suas bengalas, em volta delas corria o criado Pavlucha, ou, como lá o chamavam, Pava, um menino de uns catorze anos, de cabelo curtinho e bochechas gordas.

— Vamos lá, Pava, faça o seu número! — disse Ivan Petróvitch.

Pava ficou ereto, levantou um braço e disse em tom trágico:

— Morra, desgraçada!

E todos caíram na gargalhada.

"Interessante", pensou Stártsev, quando saía para a rua.

Ele ainda deu uma passadinha no restaurante e bebeu cerveja, depois rumou a pé para Diálij. Caminhando pela estrada, cantarolava:

Tua voz para mim é carinhosa e lânguida...

Depois de caminhar nove verstás, já na cama, ele não sentia o menor cansaço. Ao contrário, parecia-lhe que poderia com satisfação caminhar mais umas vinte verstás.

Nadamalo — lembrou-se e, rindo, caiu no sono.

II

Há tempos Stártsev tencionava voltar à casa dos Túrkin, mas ele tinha muito trabalho no hospital e não conseguia encontrar um momento livre. Desse modo, mais de um ano se passou no trabalho e na solidão. De repente, chegou-lhe da cidade uma carta num envelope azul-claro...

Já fazia muito tempo que Vera Iôssifovna sofria de enxaqueca, mas ultimamente, desde que a Gatinha passara a assustá-la todos os dias, dizendo que ia para o conservatório, as crises tornaram-se cada vez mais frequentes. Todos os médicos da cidade já haviam estado na casa dos Túrkin e finalmente chegou a vez do médico do *zemstvo*. Vera Iôssifovna escrevera uma carta comovente, em que lhe pedia que fosse aliviar seu sofrimento. Stártsev foi e, depois disso, passou a ir com muita frequência, muita mesmo... De fato, ele ajudou um pouco Vera Iôssifovna, e ela começou a dizer a todas as visitas que ele era um médico extraordinário, fantástico. Mas agora ele já não ia à casa dos Túrkin por causa das enxaquecas dela...

Era feriado. Iekaterina Ivânovna terminou seus longos e cansativos exercícios de piano. Depois ficaram muito tempo sentados na sala de jantar, tomando chá, enquanto Ivan Petróvitch contava algo engraçado. Soou a campainha e foi necessário ir ao vestíbulo receber uma visita. Stártsev aproveitou o minuto de confusão e sussurrou para Iekaterina Ivânovna, com grande ansiedade:

– Pelo amor de Deus, eu lhe imploro, não me torture, vamos ao jardim!

Ela deu de ombros, como se não entendesse o que ele pretendia dela, mas levantou-se e foi.

– A senhorita toca piano durante três ou quatro horas, depois fica com sua mãe, e não há nenhuma possibilidade de lhe falar. Dê-me ao menos quinze minutos, eu lhe imploro.

O outono se aproximava, o velho jardim estava silencioso, triste, e o chão das aleias estava coberto de folhas escuras. Já anoitecia mais cedo.

– Não a vi durante toda uma semana – continuou Startsev. – Se soubesse como tenho sofrido! Vamos nos sentar. Quero que me ouça.

Havia um lugar preferido dos dois no jardim: um banco debaixo de um velho e frondoso bordo. Foi nesse banco que eles agora se sentaram.

– Que o senhor deseja? – perguntou Iekaterina Ivânovna secamente e num tom oficial.

– Eu não a vi uma semana inteira, faz tempo que não a ouço. Anseio loucamente por sua voz. Diga alguma coisa.

Ela o encantava por seu frescor, pela expressão ingênua dos olhos e do rosto. Até mesmo na maneira como lhe assentava o vestido ele via algo extraordinariamente encantador, tocante por sua simplicidade, cheio de uma graça ingênua. Ao mesmo tempo, apesar dessa ingenuidade, a jovem lhe parecia muito inteligente e madura para a sua idade. Ele podia conversar com ela sobre literatura, arte, qualquer coisa; podia queixar-se da vida e das pessoas, apesar de às vezes ela começar a rir sem motivo ou voltar correndo para casa, durante uma conversa séria. Como todas as moças de S., ela lia muito (em geral, em S. quase não se lia, e na biblioteca diziam que, se não fossem as moças e os judeus jovens, a biblioteca poderia ser fechada); isso agradava muito a Startsev, que perguntava sempre, emocionado, o que ela havia lido recentemente e ouvia encantado a sua resposta.

– O que a senhorita leu nessa semana em que não nos vimos? – perguntou ele. – Conte-me, eu lhe peço.

– Eu li Píssemski.

– O que exatamente?

– *Mil almas* – respondeu a Gatinha. – Ah, que nome engraçado tinha Píssemski: Aleksei Feofiláktytch!

— Mas aonde vai? — aterrorizou-se Stártsev quando de repente ela se levantou e se dirigiu à casa. — Preciso falar com a senhorita, eu tenho algo importante a dizer... Fique comigo ao menos cinco minutos! Eu lhe imploro!

Ela parou, como se quisesse dizer alguma coisa, depois desajeitadamente meteu-lhe na mão um bilhete e correu para a casa, sentando-se novamente ao piano.

"Hoje, às onze horas da noite, esteja no cemitério, junto ao túmulo de Demetti."

"Bem, isso não é nem um pouco inteligente", pensou ele, voltando à razão. "Por que agora esse cemitério? Para que isso?"

Estava claro: Gatinha estava fazendo graça. Realmente, na cabeça de quem entraria uma ideia como essa, de marcar um encontro no meio da noite, longe, fora da cidade, num cemitério, quando isso poderia facilmente ser feito na rua, no jardim municipal? E por acaso combina com ele, médico do *zemstvo*, inteligente, bem-situado, ficar suspirando, receber bilhetinhos, mandar-se para cemitérios, fazer tolices que são motivo de risos até dos alunos do ginásio? Aonde o levará esse romance? Que dirão os colegas quando souberem? Assim pensava Stártsev, vagando pelo clube entre as mesas, mas, às dez e meia, decidiu-se e rumou para o cemitério.

Ele já possuía uma parelha de cavalos e um cocheiro, Panteleimon, que usava um colete de veludo. A lua brilhava. Estava silencioso e quente, mas era um calor de outono. No subúrbio, perto do matadouro, cachorros uivavam. Stártsev deixou o coche perto dos limites da cidade, numa das ruelas, e foi a pé para o cemitério. "Cada qual com suas esquisitices", pensava. "Gatinha também é esquisita e... quem sabe? Pode ser que não esteja brincando e venha." E ele se entregou a essa débil e vaga esperança, inebriando-se com ela.

Stártsev caminhou meia verstá pelo campo. O cemitério era visível ao longe como uma faixa escura, um bosque ou um grande jardim. Surgiram uns muros de pedra branca e portões... À luz do luar era possível ler no portão: "Chegará a hora para todos...". Stártsev entrou pela cancela e as primeiras coisas que ele viu foram as cruzes brancas e os monumentos de ambos os lados da larga alameda, com as sombras negras que partiam deles e dos álamos; ao redor, até bem distante, via-se tudo em branco e preto, e as árvores sonolentas inclinavam seus galhos sobre o branco. Parecia que ali estava mais claro do que no campo; as folhas dos bordos, parecendo patas de animais, destacavam-se nitidamente na areia amarela das aleias e nas lápides, e as inscrições nos monumentos eram bem visíveis. No primeiro momento, Stártsev ficou impressionado com algo que ele estava vendo pela primeira vez e que provavelmente não teria outra ocasião de ver: um mundo que não se parecia com nada, um mundo onde é tão bonita e suave a luz da lua, como se ali fosse o seu berço, e no qual não há nenhuma vida, mas onde, em cada álamo escuro, em cada túmulo, se pode sentir a presença de algo misterioso prometendo uma existência tranquila, eterna e maravilhosa. Das lápides e das flores murchas, juntamente com o odor outonal das folhas, sentia-se o sopro do perdão, da tristeza e do repouso.

Por toda parte, o silêncio; profundamente resignadas, as estrelas olham do céu, e os passos de Stártsev ressoam de maneira abrupta e inoportuna. Somente quando na igreja o relógio começou a bater e ele se imaginou morto e enterrado ali para sempre foi que lhe pareceu que alguém olhava para ele, e por um instante pensou que isso não era sossego nem silêncio, e sim a melancolia surda da ausência de vida, um desespero reprimido...

O monumento a Demetti tinha forma de capela com um anjo no topo. Certa vez, estivera na cidade uma companhia italiana de ópera; uma das cantoras morreu e foi enterrada ali, e lhe construíram aquele monumento. Na cidade ninguém se lembrava mais dela, mas a lamparina sobre a entrada refletia a luz da lua e parecia que estava acesa.

Não havia ninguém. E quem iria ali à meia-noite? Mas Startsev esperava, e parecia que o luar aquecia nele a paixão e pintava em sua imaginação os beijos e abraços. Ele ficou cerca de meia hora ali sentado, depois caminhou pelas alamedas laterais, com o chapéu na mão, ainda esperando. Pensava nas muitas mulheres e moças que estavam enterradas naqueles túmulos, outrora belas, encantadoras, que amaram e nas suas noites arderam de paixão, entregando-se a carícias. Como a mãe natureza brinca maldosamente com o ser humano! Como é revoltante ter consciência disso! Startsev pensava essas coisas, mas, ao mesmo tempo, tinha vontade de gritar que ele queria, que esperava pelo amor a todo custo; ele já não via diante de si pedaços de mármore branco, via corpos maravilhosos, via formas se escondendo envergonhadas nas sombras das árvores; sentia calor, e essa languidez estava se tornando penosa...

E, de repente, foi como se uma cortina tivesse se fechado: a lua se escondeu atrás das nuvens e tudo ficou negro. A muito custo Startsev encontrou o portão – estava já escuro, como uma noite de outono –, depois, por cerca de uma hora e meia ele vagou, procurando a ruela onde deixara seus cavalos.

– Estou cansado, mal me aguento nas pernas – disse ele a Panteleimon.

Sentando-se deliciado no coche, pensou: "Ah, eu não devia engordar!".

III

Na noite seguinte, Startsev foi à casa dos Túrkin para fazer o pedido de casamento. Porém, a ocasião não se mostrou oportuna, porque Iekaterina Ivânovna estava sendo penteada por um cabeleireiro em seu quarto. Ela se preparava para ir a um baile no clube. Ele foi obrigado a ficar sentado durante muito tempo na sala de jantar, tomando chá. Ivan Petróvitch, vendo que a visita estava pensativa e entediada, tirou do bolso do colete uns bilhetinhos e leu uma carta engraçada de um administrador de fazenda alemão, onde este dizia que na propriedade enguiçaram todos os "fechamentos" e que uma "parente" tinha desabado.

"Provavelmente o dote que eles vão dar não será pequeno", pensava Stártsev, ouvindo distraído. Depois de uma noite mal dormida, ele estava meio aparvalhado, como se alguém o tivesse embebedado com alguma coisa doce e soporífica; seu espírito estava embotado, mas ele se sentia alegre e aquecido, embora, ao mesmo tempo, dentro de sua cabeça um pedacinho frio e severo refletisse:

"Pare enquanto é tempo! Será que ela serve para você? É mimada, cheia de caprichos, dorme até as duas da tarde, e você é filho de um diácono e médico do *zemstvo*..."

"E daí?", pensava Stártsev. "Que seja!"

"Além disso, se você casar com ela", continuou o pedacinho, "a família dela vai te obrigar a abandonar o emprego no *zemstvo* e morar na cidade."

"E que tem isso? Se tiver de morar na cidade, tudo bem. Eles vão dar um dote, montaremos casa..."

Finalmente, Iekaterina Ivânovna apareceu, de vestido de baile decotado, bonitinha, limpinha, e Stártsev ficou admirando-a com um deslumbramento tão grande que não conseguia dizer nem uma palavra, apenas olhava para ela e ria.

Ela veio se despedir, e ele, vendo que não tinha mais sentido continuar ali, levantou-se, dizendo que já era hora de voltar para casa, pois tinha doentes à sua espera.

– Que posso fazer? – disse Ivan Petróvitch. – Vá, então, e aproveite e deixe a Gatinha no clube.

No pátio começava a chuviscar, estava muito escuro, e somente pela tosse de Panteleimon era possível adivinhar onde estavam os cavalos. Levantaram a capota da caleche.

Ivan Petróvitch fazia trocadilhos, enquanto ajudava a filha a subir na caleche.

– Mova-se! Adeus, por favor!

Eles partiram.

— Ontem estive no cemitério — começou Stártsev. — Como aquilo foi cruel e impiedoso de sua parte...

— O senhor esteve no cemitério?

— Sim, estive lá e esperei a senhorita até quase as duas horas. Eu sofri...

— Pois então sofra, se não é capaz de entender uma brincadeira.

Iekaterina Ivânovna, satisfeita por ter brincado tão espertamente com um admirador e feliz por se saber amada com tanta paixão, ficou rindo alto, mas de repente deu um grito de susto, quando os cavalos fizeram uma curva fechada para entrar no portão do clube e a caleche inclinou-se. Stártsev enlaçou Iekaterina Ivânovna pela cintura; no susto, ela se apoiou nele, que não resistiu e a beijou apaixonadamente nos lábios, no queixo, e depois abraçou-a com força.

— Basta — disse ela secamente.

No instante seguinte, ela não estava mais na caleche, e um guarda na entrada iluminada do clube gritava para Panteleimon com uma voz asquerosa:

— Que está fazendo aí parado, sua lesma! Adiante, mova-se!

Stártsev foi para casa, mas, passado pouco tempo, voltou. Vestido com um fraque alheio e com uma gravata branca dura, que ficava espetada e queria a todo custo sair do colarinho, à meia-noite ele estava sentado na sala de visitas do clube e dizia a Iekaterina Ivânovna com ardor:

— Oh, como aqueles que nunca amaram pouco sabem! Eu penso que ninguém até hoje descreveu de verdade o amor, e talvez não seja possível descrever esse sentimento terno, cheio de alegrias e torturas, e quem o experimentou ao menos uma vez não há de querer expressá-lo em palavras. Para que prefácios, descrições? Para que eloquência desnecessária? Meu amor é infinito... Eu lhe peço, imploro — disse por fim Stártsev —, seja minha esposa!

— Dmítri Iônytch — disse Iekaterina Ivânovna com uma expressão muito séria depois de pensar um pouco. — Dmítri Iônytch, sou muito grata pela honra que me dá; eu o respeito, mas... — ela se levantou e continuou de pé — mas desculpe, não posso ser sua esposa. Vamos falar seriamente. Dmítri Iônytch, o senhor sabe que o que eu mais amo na vida é a arte, amo loucamente, adoro a música, dediquei toda a minha vida a ela. Quero ser artista, quero a glória, o sucesso, a liberdade, e o senhor quer que eu continue a viver nesta cidade, viver a mesma vida vazia e inútil que se tornou insuportável para mim. Me tornar uma esposa? Oh, não, desculpe! Uma pessoa deve aspirar a um ideal mais alto, mais glorioso, e a vida de família me prenderia para sempre. Dmítri Iônytch (ela sorriu levemente, porque, ao dizer Dmítri Iônytch, lembrou-se de "Aleksei Feofiláktytch"), Dmítri Iônytch, o senhor é bom, é nobre, inteligente, não há pessoa melhor... — brotaram-lhe algumas lágrimas nos olhos. — Sinto de todo o coração, mas... mas o senhor há de compreender...

E, para não chorar, ela se virou e saiu da sala. O coração de Stártsev já não batia agitado. Ao sair do clube, na rua, a primeira coisa que fez foi arrancar do pescoço a gravata dura, dando um suspiro profundo. Estava um pouco envergonhado, com o amor-próprio ferido — ele não esperava ser recusado —, e custava a acreditar que todos os seus sonhos, angústias e esperanças o haviam conduzido a um final tão bobo, digno de uma peça menor de teatro amador. E sentia pena daquele seu sentimento, daquele seu amor, tanta pena que tinha vontade de soluçar ou de bater com toda a força com o guarda-chuva nas costas largas de Panteleimon.

Durante três dias tudo lhe caía das mãos, ele não comia, não dormia, mas, quando aos seus ouvidos chegou a notícia de que Iekaterina Ivânovna tinha ido para Moscou a fim de ingressar no conservatório, ele sossegou e sua vida voltou ao que era antes.

Mais tarde, quando, vez por outra, ele se recordava de como tinha vagado pelo cemitério ou de como tinha percorrido toda a cidade à procura de um fraque, ele espreguiçava e dizia:

– Quanto esforço e preocupação! Veja só!

IV

Passaram-se quatro anos. Stártsev já tinha uma grande clientela na cidade. Todas as manhãs ele atendia apressadamente os doentes em Diálij, depois ia atender os clientes da cidade, e seu meio de transporte já não era uma parelha, e sim uma troica* com guizos. Voltava para casa tarde da noite. Engordou, ficou corpulento e já não tinha vontade de andar a pé, pois sofria de falta de ar. Panteleimon também havia engordado e, quanto mais aumentava na largura, mais tristemente ele suspirava e se queixava de seu amargo destino: estava farto das viagens!

Stártsev visitava diferentes casas e encontrava muitas pessoas, mas não se tornou íntimo de nenhuma. Os burgueses o irritavam com suas conversas, sua maneira de ver a vida e até mesmo com seu aspecto. Aos poucos, ele aprendeu pela experiência que, enquanto se trata de jogar cartas ou de comer na companhia de um burguês, este permanece pacífico, benevolente e é até mesmo inteligente; porém, basta apenas puxar o assunto para algo não comestível, como política ou ciência, por exemplo, que ele fica num beco sem saída ou vem com alguma filosofia obtusa e perversa, e o único remédio é desistir e ir embora. Quando Stártsev tentava conversar com um burguês, mesmo um liberal, a respeito, por exemplo, da ideia de que a humanidade, graças a Deus, está avançando e de que, com o tempo, os documentos de identidade e a pena de morte serão dispensáveis, o tal burguês o olhava de esguelha e perguntava desconfiado:

---

* Ver nota da página 46. (N.T.)

"Quer dizer então que qualquer um vai poder degolar quem quiser na rua?". E quando em sociedade, num jantar ou tomando chá, Stártsev dizia que era necessário trabalhar, que não se pode viver sem trabalhar, cada um interpretava isso como uma crítica, zangava-se e começava a discutir de maneira inconveniente. Mas a verdade é que os burgueses nada faziam, absolutamente nada, não se interessavam por coisa alguma, e era impossível pensar em algum assunto para se falar com eles. Por isso, Stártsev evitava conversas e apenas comia e jogava *vint**, e quando calhava de haver uma festa familiar na casa de algum cliente e o convidavam a participar, ele ficava sentado e comia calado, olhando para o prato; durante esse tempo, as conversas eram desinteressantes, injustas e tolas, e ele ficava irritado, perturbado, mas se calava e, devido ao fato de que estava sempre carrancudo e silencioso, olhando para o prato, ganhou na cidade o apelido de "polaco enfatuado", embora ele nunca tivesse sido polaco.

Ele abria mão de distrações, como teatro e concertos, mas, em compensação, jogava *vint* todas as noites, por umas três horas seguidas, com grande prazer. Tinha ainda outra paixão, a que foi se apegando sem notar, aos pouquinhos: tirar dos bolsos à noite as notinhas que recebia com a prática médica, e era comum que essas notinhas – amarelas e verdes, recendendo a perfume, vinagre, incenso e óleo de baleia – abarrotassem todos os seus bolsos, perfazendo uns setenta rublos; e, quando ele juntava algumas centenas de rublos, levava-os para a Sociedade de Crédito Mútuo e os depositava em sua conta corrente.

Nos quatro anos que se seguiram à partida de Iekaterina Ivânovna, ele esteve na casa dos Túrkin apenas duas vezes, convidado por Vera Iôssifovna, que ainda se tratava de sua enxaqueca. Iekaterina Ivânovna vinha todos os anos no verão visitar os pais, mas, por mera casualidade, ele não a viu nem uma vez.

---

* Jogo de baralho popular na época, parecido com o bridge. (N.T.)

Porém, passaram-se os quatro anos.

Em certa manhã calma e quente, chegou ao hospital uma carta. Vera Iôssifovna escrevia a Dmítri Iônytch que sentia muito sua ausência e lhe pedia que fosse sem falta visitá-la e aliviar seus sofrimentos, e que, a propósito, era o seu aniversário. Embaixo havia um adendo: "Ao pedido de mamãe eu também me associo. G."

Stártsev pensou e à noite foi à casa dos Túrkin.

– Ah, boa noite, por favor! – recebeu-o Ivan Petróvitch, sorrindo apenas com os olhos. Muito *bonjour*.

Vera Iôssifovna, que havia envelhecido bastante e já tinha cabelos brancos, apertou a mão de Stártsev, suspirou afetadamente e disse:

– O senhor, doutor, não quer me cortejar, nunca vem nos visitar, eu já estou velha para o senhor. Mas chegou alguém mais jovem, quem sabe ela tem mais sorte.

E a Gatinha? Ela estava mais magra, mais pálida, ficara mais bonita e esbelta, mas agora aquela era Iekaterina Ivânovna, e não a Gatinha; não tinha mais aquele frescor de antes nem a expressão de ingenuidade infantil. E no seu olhar, nos modos, havia algo novo – ela parecia temerosa e culpada, como se ali, na residência dos Túrkin, já não se sentisse em casa.

– Há quanto tempo! – disse ela, estendendo a mão a Stártsev, com o coração visivelmente acelerado de ansiedade; e, olhando para o rosto dele fixamente, com curiosidade, continuou: – Como o senhor engordou! Está bronzeado, mais másculo, mas, no geral, mudou pouco.

Ele achou que ela estava bonita, muito bonita, mas que lhe faltava alguma coisa, ou que alguma coisa nela era excessiva. Ele próprio não conseguia saber o que era, mas algo o impedia de se sentir como antes. Ele não gostava de sua palidez, da nova expressão do seu rosto, de seu sorriso débil, da sua voz, e um instante mais tarde já não estava gostando do seu vestido, da poltrona onde ela estava sentada, e não gostava de alguma coisa no passado, quando esteve prestes a se casar com ela. Lembrou-se do seu amor, dos sonhos e das esperanças que o inquietaram quatro anos antes – e sentiu-se pouco à vontade.

Tomaram chá com uma torta doce. Depois Vera Iôssifovna leu em voz alta um novo romance que falava de coisas que jamais ocorrem na vida, e Stártsev ouvia, olhando para sua bela cabeça grisalha e esperando o momento em que ela terminasse.

"Sem talento", pensava ele, "não é quem não é capaz de escrever novelas, e sim quem escreve e não consegue esconder isso."

– *Nadamalo* – disse Ivan Petróvitch.

Depois, Iekaterina Ivânovna tocou piano durante muito tempo, ruidosamente, e quando terminou recebeu longos agradecimentos e manifestações de entusiasmo.

"Que bom que não me casei com ela", pensou Stártsev.

Ela o olhava e parecia esperar que ele lhe propusesse saírem para o jardim, mas ele se mantinha calado.

– Vamos conversar – disse ela, aproximando-se dele.
– Como vai a vida? O que tem feito? Como está? Tenho pensado no senhor todos os dias – continuou nervosamente –, queria lhe mandar uma carta, queria ir pessoalmente vê-lo em Diálij, já estava decidida a ir, mas depois desisti: só Deus sabe o que o senhor pensa de mim agora. Eu o esperei hoje com tanta expectativa! Por favor, vamos para o jardim.

Eles foram para o jardim e sentaram-se no banco embaixo do velho bordo, como fizeram quatro anos antes. Estava escuro.

– Como vai a vida? – perguntou Iekaterina Ivânovna.

– Não me queixo; vamos vivendo devagarinho – respondeu Stártsev.

E não conseguiu pensar em mais nada. Ficaram calados.

– Estou emocionada – disse Iekaterina Ivânovna, cobrindo o rosto com as mãos –, mas não repare. Eu me sinto tão bem em casa, estou tão feliz de ver a todos, e não consigo me acostumar. Quantas recordações! Eu pensava que nós dois iríamos conversar sem parar até o amanhecer...

Agora ele via de perto o rosto dela, seus olhos brilhantes, e ali, na escuridão, ela parecia mais jovem do que dentro de casa, e até sua antiga expressão infantil parecia ter voltado. De fato, ela olhava para ele com uma curiosidade ingênua, como se quisesse observar mais de perto e entender o homem que certa vez a amara tão ardentemente, com tanta ternura e de modo tão infeliz; seus olhos agradeciam a ele por esse amor. Ele também se lembrou de tudo que havia acontecido, nos mínimos detalhes – como tinha vagado pelo cemitério, e depois, de madrugada, exausto, voltado para casa e, de repente, sentiu tristeza e pesar pelo passado. Em sua alma uma brasinha se acendeu.

– Lembra-se de quando eu a acompanhei até o baile no clube? – disse ele. – Chovia, estava escuro...

A brasinha continuava a se aquecer na sua alma; ele já sentia vontade de falar, de se queixar da vida...

– Ah! – disse ele, suspirando. – A senhorita está perguntando como eu vivo. Como se vive aqui? De modo algum. Envelhecemos, engordamos, nos degradamos. Vão-se os dias, a vida passa, embotada, sem impressões, sem ideias... De dia, ganha-se dinheiro; de noite, o clube, os parceiros de jogo, os ébrios, os rouquenhos*, pessoas que eu não suporto. Que pode haver de bom?

– Mas o senhor tem o seu trabalho, tem um ideal nobre na vida. O senhor gostava tanto de falar sobre seu hospital! Naquela época eu era um tanto estranha, imaginava-me uma grande pianista. Hoje em dia, todas as moças tocam piano, eu tocava como todas as outras, não tinha nada de especial; sou tão pianista quanto mamãe é uma escritora. E, naturalmente, eu não o compreendia naquela época, mas

---

* Em geral, esse adjetivo era usado para se referir aos militares da guarda do tsar, que gritavam num tom de voz autoritário. (N.T.)

depois, em Moscou, pensei muito no senhor. Eu só pensava no senhor. Que felicidade ser um médico rural, ajudar aqueles que sofrem, servir ao povo. Que felicidade! – repetiu Iekaterina Ivânovna com ardor. – Quando eu pensava no senhor, em Moscou, o senhor me parecia um ser ideal, superior...

Startsev lembrou-se das notinhas que tirava dos bolsos à noite com tanta satisfação, e a brasinha se apagou.

Ele se levantou para voltar à casa. Ela lhe deu o braço e o seguiu.

– O senhor é a melhor pessoa que encontrei na minha vida – continuou ela. – Vamos nos ver e conversar, não é verdade? Me prometa. Eu não sou pianista, já não estou enganada quanto a mim e, na sua presença, não vou tocar piano nem falar de música.

Quando entraram em casa e Startsev viu na iluminação noturna o rosto dela, seus olhos tristes fixos nele, agradecidos, perscrutadores, sentiu uma inquietação e novamente pensou: "Que bom que naquela ocasião eu não me casei com ela".

E começou a se despedir.

– O senhor não tem nenhum *direito romano* de ir embora sem jantar – dizia Ivan Petróvitch, acompanhando-o até a saída. – Isso é muito *perpendicular* de sua parte. Vamos lá, represente – disse ele no vestíbulo, dirigindo-se a Pava.

Pava, que já não era mais um menino, e sim um rapaz com bigodes, fez a pose, levantou o braço e disse com voz trágica:

– Morra, infeliz!

Tudo isso irritou Startsev. Ao subir na carruagem, olhando para a casa escura e para o jardim que em certa época lhe foram tão agradáveis e queridos, ele se lembrou de tudo de uma só vez: os romances de Vera Iôssifovna, o piano barulhento da Gatinha, os gracejos de Ivan Petróvitch, a pose trágica de Pava, e lhe veio à mente que, se as pessoas mais talentosas da cidade eram assim tão desprovidas de talento, então como não devia ser a cidade!

Três dias depois Pava levou-lhe uma carta de Iekaterina Ivânovna.

"O senhor não nos visita. Por quê?", escrevia ela. "Receio que o senhor já não sinta por nós o mesmo que antes. Tenho esse receio e fico apavorada só de pensar nisso. Tranquilize-me, venha e diga que está tudo bem. Preciso seriamente falar com o senhor. Sua Ie. T."

Ele leu essa carta, pensou e disse a Pava:

– Diga-lhe, meu querido, que hoje não posso ir, estou muito ocupado. Eu irei... você diga assim... dentro de uns três dias.

Mas se passaram três dias, passou-se uma semana, e ele não foi. Certa vez, andando de carruagem perto da casa dos Túrkin, ele se lembrou de que precisava dar uma chegada lá, nem que fosse para ficar um minuto, mas pensou e... não foi.

E ele não foi mais à casa dos Túrkin.

V

Mais alguns anos se passaram. Stártsev está ainda mais gordo e corpulento, respira com dificuldade, atirando a cabeça para trás ao caminhar. Quando ele vai em sua troica, inchado, vermelho, com os guizos tilintando, e, também inchado e vermelho, com sua nuca carnuda, sentado na boleia, os braços estendidos para frente como se fossem de madeira, Panteleimon grita para os que vêm em sentido contrário: "Mantenha a direita!", a cena costuma ser imponente, e a impressão que se tem é de que ali vai não uma pessoa, e sim um deus pagão. Ele possui uma imensa clientela, não tem tempo de respirar, é dono de uma propriedade rural e de duas casas na cidade e já está à procura de uma terceira, que espera seja mais vantajosa. E quando na

Sociedade de Crédito Mútuo comentam sobre alguma casa que irá a leilão, sem nenhuma cerimônia ele vai lá, passa pelos quartos, sem prestar atenção nas mulheres e crianças que, sem terem tido tempo de se vestir, olham para ele espantadas e aterrorizadas, cutuca todas as portas com a bengala e diz:

— Isto é o escritório? Isto é um dormitório? E isto, o que é?

E faz isso com a respiração pesada, enxugando o suor da testa.

Tem muito trabalho, mas, apesar disso, não abandona o posto no *zemstvo*. A cobiça o dominou, ele quer atender lá e aqui. Em Diálij e na cidade, já o chamam simplesmente de Iônytch. "Onde será que Iônytch vai?" Ou: "Quem sabe devemos chamar Iônytch para a junta médica?".

Talvez porque seu pescoço se encheu de gordura, sua voz se modificou, ficou fina e estridente. Seu temperamento também mudou: tornou-se pesado, irritadiço. Quase sempre atende os pacientes de mau humor, bate com a bengala no chão com impaciência e grita com sua voz desagradável:

— Tenha a bondade de somente responder às perguntas! Não converse.

É solitário. Sua vida é tediosa, nada o interessa.

Durante todo o tempo em que mora em Diálij, o amor pela Gatinha foi a única alegria que ele teve e provavelmente será a última. À noite joga *vint* no clube, senta-se depois sozinho a uma mesa grande e janta. Quem o atende é o empregado Ivan, o mais velho e respeitado do clube. Servem-lhe Laffitte de dezessete anos, e todos lá – o diretor do clube, o cozinheiro, os empregados – já sabem do que ele gosta e do que não gosta, fazendo o possível para contentá-lo; do contrário, ele pode se irritar e começar a bater com a bengala no chão.

Durante o jantar, vez por outra ele se volta e se intromete na conversa de alguém.

– De que o senhor está falando? Hein? Quem?

E se por acaso acontece de conversarem perto dele sobre os Túrkin, ele pergunta:

– De quais Túrkin vocês estão falando? Daqueles que têm uma filha que toca piano?

E isso é tudo que se pode dizer sobre ele.

E os Túrkin? Ivan Petróvitch não envelheceu, não mudou nada e continua a fazer graça e a contar anedotas; Vera Iôssifovna lê seus romances para as visitas com a mesma boa vontade de sempre e com amável simplicidade. E a Gatinha toca piano todos os dias durante umas quatro horas. Ela envelheceu visivelmente, volta e meia adoece e a cada outono vai com a mãe para a Crimeia. Ao se despedir delas na estação, na partida do trem Ivan Petróvitch enxuga as lágrimas e grita:

– Adeus, por favor!

E fica abanando o lenço.

Setembro de 1898

A DAMA DO CACHORRINHO

I

Comentava-se que na avenida à beira-mar tinha surgido uma cara nova: uma dama com um cachorrinho. Dmítri Dmítritch Gúrov, que estava em Ialta havia duas semanas e já se acostumara ao lugar, começou também a se interessar por gente nova. Sentado no pavilhão do *Vernais*, viu passar pela calçada da praia uma jovem senhora, loura, baixa, de boina; atrás dela corria um lulu da Pomerânia branco.

Depois ele a encontrou no jardim municipal e na praça várias vezes ao dia. Ela passeava sozinha, sempre com a mesma boina e o lulu branco; ninguém sabia quem ela era e a chamavam simplesmente de "a dama do cachorrinho".

"Se ela está aqui sem marido e sem conhecidos", pensava Gúrov, "não seria demais conhecê-la."

Ele ainda não completara quarenta anos, tinha uma filha de doze e dois filhos no ginásio. Fizeram-no casar cedo, quando ainda estava no segundo ano da faculdade, e agora sua esposa parecia ter o dobro de sua idade. Ela era uma mulher alta, de sobrancelhas escuras, ereta, importante, sólida e, como ela se autodenominava, pensante. Lia muito, em suas cartas não usava o sinal duro*, chamava o marido de Dimítri, e não Dmítri**, e secretamente ele a considerava uma pessoa medíocre, estreita, sem graça; tinha medo dela

---

* Sinal duro é uma letra do alfabeto russo que, em final de palavra, havia muito tempo que já não representava nenhum som e, na época de Tchékhov, omiti-lo era indício de avanço intelectual. Essa letra foi abolida na reforma ortográfica de 1918. (N.T.)
** O nome russo é Dmítri, mas a forma Dimítri era considerada mais culta por estar mais próxima do étimo grego Demetrios. (N.T.)

e não gostava de ficar em casa. Começara a traí-la há muito tempo; traía com frequência, e talvez por isso quase sempre falava mal das mulheres; e quando na sua presença a conversa girava em torno delas, ele as chamava assim:

– Raça inferior!

Parecia-lhe que o que ele aprendera com experiências amargas lhe dava o direito de chamá-las como quisesse, porém não conseguia passar nem dois dias sem a "raça inferior". Na companhia dos homens ele se sentia entediado, pouco à vontade, ficava calado e frio; mas, no meio das mulheres, sentia-se livre e sabia o que dizer e como se comportar. Era-lhe fácil até mesmo ficar calado na presença delas. Na sua aparência, no seu caráter, em todo o seu modo de ser havia algo sedutor, imperceptível, que predispunha favoravelmente as mulheres em relação a ele e as atraía.

Sua farta experiência, na realidade uma experiência amarga, há muito lhe ensinara que toda aproximação, que no início traz uma agradável variedade à vida e que promete ser uma aventura leve e divertida, no caso de pessoas da alta sociedade, especialmente os moscovitas, indecisos e lentos na ação, fatalmente se transforma num problema terrivelmente complexo, e no final a situação se torna muito penosa. Porém, a cada novo encontro com uma mulher interessante era como se essa experiência escapasse da memória; dava vontade de viver, e tudo parecia simples e divertido.

E então, uma tarde, aconteceu que ele estava almoçando no jardim, e a dama com a boina aproximou-se devagar para ocupar a mesa vizinha. Sua expressão, a maneira de caminhar, o vestido, o penteado, tudo lhe dizia que ela era da boa sociedade, casada, estava em Ialta pela primeira vez e sozinha, e que se sentia entediada ali... As narrativas sobre a imoralidade dos costumes locais continham muitas inverdades, e ele as desprezava por saber que tais relatos eram criados por pessoas que de bom grado pecariam se soubessem fazê-lo. Mas, quando a dama se sentou à mesa vizinha a três passos dele, vieram à sua lembrança aquelas histórias de conquistas fáceis, de excursões às montanhas, e a atraente ideia de um relacionamento rápido, efêmero, de um romance com uma mulher desconhecida, de quem não se sabe nem nome nem sobrenome, de repente tomou conta dele.

Gúrov chamou carinhosamente o cachorrinho e, quando este se aproximou, fez-lhe um gesto de repreensão com o dedo. O cachorro rosnou; Gúrov tornou a repreendê-lo com o dedo.

A dama lançou-lhe um olhar e imediatamente baixou os olhos.

– Ele não morde – disse corando.

– Posso dar um osso a ele? – perguntou Gúrov e, quando ela balançou a cabeça afirmativamente, perguntou em tom amistoso: – A senhora está em Ialta há muito tempo?

– Uns cinco dias.

– Quanto a mim, já me arrasto aqui faz duas semanas.

Calaram-se por um instante.

– O tempo passa depressa, mas, ao mesmo tempo, isto aqui é um tédio! – disse ela sem olhar para ele.

– Não passa de um hábito dizer que aqui é um tédio – disse ele. – O burguês leva sua vida em algum lugar, em Beliov ou Jizdra*, e não sente tédio, mas quando chega aqui: "Ai, que tédio! Ai, quanta poeira!". Pode-se até pensar que ele veio de Granada.

Ela riu. Depois ambos continuaram a comer em silêncio, como dois desconhecidos. Porém, quando terminaram, puseram-se a caminhar juntos, iniciando uma conversa bem-humorada, leve, de pessoas livres e felizes, para quem não importava para onde ir nem sobre o que falar. Ficaram passeando e fazendo comentários sobre a estranha luminosidade do mar. A água tinha um tom lilás, suave e

---

* Trata-se de duas pequenas cidades russas. Beliov fica perto de Tula e Jizdra perto de Kaluga. (N.T.)

quente, e por ela se estendia uma faixa dourada de luar. Comentaram que ficava abafado depois de um dia de calor. Gúrov contou que era moscovita, formado em filologia, mas trabalhava num banco. Em certa época se preparou para cantar numa companhia privada de ópera, mas desistiu; tinha duas casas em Moscou... E dela, ele soube que crescera em Petersburgo, mas se casara em S., onde vivia já há dois anos, que ficaria em Ialta cerca de um mês e que talvez o marido viesse se juntar a ela, pois ele também queria descansar. Ela não soube dizer onde seu marido trabalhava – se no governo da província ou no *zemstvo* provincial – e ela mesma achou graça nisso. E Gúrov ainda ficou sabendo que ela se chamava Anna Serguêievna.

Mais tarde, no quarto do hotel, ficou pensando nela e imaginou que na certa eles se encontrariam no dia seguinte. Era o que deveria acontecer. Ao se deitar, passou-lhe pela cabeça que há muito pouco tempo ela ainda era uma colegial, estudava, como agora fazia a sua filha, e lembrou-se de quanto havia de timidez e falta de traquejo no seu riso, na conversa com um desconhecido – essa devia ser a primeira vez na sua vida que ela ficava sozinha numa situação como aquela, com pessoas que a procuravam e olhavam para ela com um único e secreto objetivo, o qual era impossível que ela não adivinhasse. Ele se lembrou de seu pescoço fino e frágil e de seus belos olhos cinzentos.

II

Passou-se uma semana desde que se conheceram. Era um feriado. Nos quartos estava abafado e, nas ruas, o vendaval levantava poeira, arrancava os chapéus. A sede atormentou durante todo o dia; Gúrov volta e meia ia ao pavilhão e oferecia a Anna Serguêievna ora água gasosa com xarope, ora sorvete. Não havia onde se refugiar.

À tardinha, quando o vento amainou um pouco, eles foram para o cais ver a chegada do vapor. No embarcadouro, muitas pessoas passeavam; estavam ali à espera de alguém e carregavam flores. Naquele lugar, nitidamente chamavam a atenção duas características da elegante multidão ialtense: as senhoras maduras vestiam-se como as jovens e havia muitos generais.

Devido à agitação do mar, o vapor chegou tarde, quando o sol já se havia posto, e, antes de atracar, ficou muito tempo virando-se. Anna Serguêievna olhava através do *lorgnon* para o vapor e para os passageiros como a procurar algum conhecido, e seus olhos brilhavam quando se dirigia a Gúrov. Falava muito, suas perguntas eram entrecortadas, ela mesma logo se esquecia do que havia perguntado. Mais tarde perdeu seu *lorgnon* no meio da aglomeração.

A multidão bem-vestida se dispersou, os rostos já não eram visíveis, o vento cessou totalmente, mas Gúrov e Anna Serguêievna continuavam parados, como se esperassem para ver se não sairia mais alguém do vapor. Anna Serguêievna já não falava e cheirava as flores, sem olhar para Gúrov.

– O tempo à noite melhorou – disse ele. – Aonde vamos agora? Que acha de irmos a algum lugar?

Ela não respondeu.

Então ele a olhou fixamente, abraçou-a de repente e lhe deu um beijo na boca, envolvido pelo aroma e pela umidade das flores, mas logo depois olhou em volta assustado: não teria alguém visto?

– Vamos para o seu quarto... – disse ele baixinho.

E ambos partiram apressados.

O quarto dela estava abafado e havia cheiro dos perfumes que ela comprara numa loja japonesa. Vendo-a naquele momento, Gúrov pensava: "Que encontros não acontecem na vida!". Do seu passado ele guardava a lembrança de mulheres despreocupadas, afáveis, contentes pelo amor, gratas a ele pela felicidade – embora muito curta – e também a de outras, como sua esposa, por exemplo, que amavam sem sinceridade, com discursos desnecessários, com afetação, histeria e uma expressão tal, como se aquilo não fosse amor, não fosse paixão, e sim algo mais significativo; e também duas ou três muito belas, frias, em cujo rosto perpassava um ar obstinado de ave de rapina, como se desejassem arrebatar da vida mais do que ela pode dar; tais mulheres já haviam passado da primeira juventude, eram caprichosas, avessas ao raciocínio, autoritárias e burras, e quando Gúrov esfriava em relação a elas, sua beleza começava a despertar ódio nele, e as rendas de sua *lingerie* lembravam-lhe escamas.

Mas, no caso atual, permanecia aquela timidez, a falta de traquejo da juventude inexperiente, a sensação de embaraço; havia um ar de desnorteamento, como se alguém de repente tivesse batido à porta. Anna Serguêievna, a dama do cachorrinho, em relação ao que acontecera reagiu de um modo um tanto especial, com muita seriedade, como se aquilo significasse sua queda – era a impressão que dava, e isso era estranho e descabido. Seu rosto ficou abatido, murcho; seus longos cabelos pendiam dos lados do rosto; ela ficou meditativa, numa pose de desalento, parecia uma pecadora de uma gravura antiga.

– Foi errado – disse ela. – Agora o senhor será o primeiro a não me respeitar.

Havia sobre a mesa uma melancia. Gúrov cortou um pedaço e pôs-se a comer sem pressa. O silêncio durou pelo menos meia hora.

Anna Serguêievna estava comovente e exalava a pureza da mulher decente, ingênua e inexperiente; a vela solitária que ardia sobre a mesa mal iluminava seu rosto, mas era visível que ela estava sofrendo.

– Por que motivo eu deixaria de respeitá-la? – perguntou Gúrov. – Você não sabe o que está dizendo.

– Que Deus me perdoe! – disse ela, e seus olhos encheram-se de lágrimas. – Isto é terrível!

– Parece que você está se justificando.

– Como poderia me justificar? Sou uma mulher ruim, baixa, eu me desprezo e não penso em me justificar. Traí não o meu marido, mas a mim mesma. E não foi somente agora, já o traio há muito tempo. Meu marido talvez seja um homem bom e honrado, mas é um lacaio! Não sei o que ele faz lá, em que trabalha, só sei que é um lacaio. Quando me casei, eu tinha vinte anos, ardia de curiosidade, ansiava por algo melhor. Pois existe, dizia para mim, uma outra vida. Eu queria viver! Viver, viver... A curiosidade me queimava... O senhor não entende isso, mas, juro por Deus, eu já não conseguia me controlar, algo me aconteceu e eu fiquei fora de mim, então disse ao meu marido que estava doente e vim para cá... E, aqui, andava todo o tempo como se estivesse embriagada, como uma louca... e então me tornei uma mulher vulgar, sem valor, que qualquer um pode desprezar.

Gúrov já estava aborrecido de ouvir aquilo; irritava-o o tom ingênuo, o arrependimento tão inesperado e inoportuno; se não fossem as lágrimas em seus olhos, seria possível pensar que ela estava brincando ou representando um papel.

– Não entendo – disse ele baixinho –, o que você quer?

Ela escondeu o rosto no peito dele e ali permaneceu, agarrada a ele.

– Acredite em mim, acredite, eu lhe suplico... – disse ela. – Eu amo uma vida honesta, pura, tenho horror ao pecado, mas eu mesma não sei o que estou fazendo. As pessoas simples dizem: foi tentação do demônio. Eu também posso dizer agora que o demônio me tentou.

– Já chega, já chega... – balbuciou ele.

Olhando-a nos olhos imóveis e assustados, beijou-a, conversou com ela em voz baixa e com carinho, e pouco a pouco ela se acalmou, recuperou a alegria e ambos puseram-se a rir.

Mais tarde saíram. Na avenida à beira-mar não havia ninguém; a cidade, com seus ciprestes, parecia totalmente morta, mas o mar estava barulhento e batia contra a margem; uma barcaça solitária oscilava nas ondas e nela piscava uma lanterna.

Conseguiram encontrar uma charrete e foram para Oreanda.*

– Há pouco, lá embaixo, na portaria, fiquei sabendo seu sobrenome: no quadro está escrito von Dideritz – disse Gúrov. – Seu marido é alemão?

– Não, o avô dele, parece, era alemão, mas ele mesmo é ortodoxo.**

Em Oreanda, sentaram-se num banco perto da igreja e ficaram calados, olhando o mar embaixo. Mal se avistava Ialta através da névoa matutina, e nos cumes das montanhas nuvens brancas pairavam imóveis. A folhagem das árvores estava quieta, cigarras cantavam e o ruído surdo e monótono do mar, vindo de baixo, falava de repouso, do sono eterno que nos espera. Esse barulho já se fazia ouvir ali quando não havia nem Ialta, nem Oreanda; ele se faz ouvir agora e será assim também no futuro, surdo e indiferente, quando nós não mais existirmos. E nessa constância, nessa completa indiferença em relação à vida e à morte de cada um de nós, esconde-se, talvez, a garantia de nossa salvação eterna, do incessante movimento da vida na terra, do seu contínuo aperfeiçoamento. Sentado ao lado de uma jovem mulher, que no amanhecer parecia tão bela, tranquilizado e enfeitiçado pela visão desse panorama fantástico – o mar, as montanhas, as nuvens, o amplo céu –, Gúrov pensava que, no fundo, se refletirmos bem, tudo neste mundo é mara-

---

* Localidade no litoral sul da Crimeia, perto de Ialta, onde havia uma quinta pertencente ao tsar. (N.T.)

** Aqui, ortodoxo tem sentido de russo, pois os russos em sua maioria professavam a religião cristã ortodoxa, ao contrário dos alemães que geralmente eram protestantes ou católicos. (N.T.)

vilhoso; tudo, exceto aquilo que nós mesmos pensamos e fazemos quando esquecemos das finalidades supremas da existência e da nossa dignidade como homens.

Alguém se aproximou – devia ser um vigia –, olhou para eles e foi embora. Esse detalhe também lhe pareceu misterioso e belo. Via-se a chegada do vapor que vinha de Feodócia*, iluminado pela aurora matutina e já de luzes apagadas.

– Há orvalho sobre a relva – disse Anna Serguêievna, quebrando o silêncio.

– É, já é hora de ir para casa.

Voltaram para a cidade.

Daí em diante, todos os dias eles se encontravam ao meio-dia na avenida à beira-mar, almoçavam juntos, passeavam, admiravam o mar. Ela se queixava de que dormia mal, de que seu coração batia de maneira angustiada, e fazia sempre as mesmas perguntas, preocupada ora pelo ciúme, ora pelo pavor de que ele não a respeitasse o suficiente. E frequentemente, na praça ou no jardim, quando não havia ninguém por perto, ele a puxava para si e a beijava com paixão. O ócio total, os beijos em plena luz do dia, cheios de cautela e do medo de que alguém os pudesse ver, o calor, o cheiro do mar, o perpassar incessante de pessoas bem-vestidas, festivas e bem-alimentadas pareciam havê-lo transformado. Ele dizia a Anna Serguêievna o quanto ela era bonita, sedutora; demonstrava uma paixão impaciente, não saía do seu lado; já ela, ficava muitas vezes pensativa e continuava a lhe pedir que reconhecesse que ele não a respeitava, não a amava nem um pouco e só via nela uma mulher vulgar. Quase todas as noites, mais tarde, eles iam para algum lugar fora da cidade, para Oreanda ou para a cachoeira. E o passeio era sempre um sucesso, as impressões eram invariavelmente maravilhosas, grandiosas.

---

* Feodócia (nome de mesma origem grega que Teodósia) é um porto no litoral sudeste da Crimeia. (N.T.)

Aguardavam a vinda do marido, mas chegou uma carta dele na qual comunicava que adoecera da vista e suplicava à esposa que voltasse para casa o mais rápido possível. Anna Serguêievna se apressou em partir.

– É bom que eu vá embora – disse a Gúrov. – Deve ser o destino.

Ela partiu numa carruagem e ele a acompanhou. Viajaram um dia inteiro. Já acomodada no vagão do trem expresso, depois do segundo sinal ela disse:

– Deixe-me olhar mais uma vez para o senhor... Mais uma vez. Assim.

Ela não chorava, mas estava triste, parecia doente, e seu rosto tremia.

– Vou pensar no senhor... Vou me lembrar – dizia.
– Fique com Deus. Não pense mal de mim. Estamos nos despedindo para sempre, isso é necessário, pois nunca deveríamos ter nos encontrado. Bem, fique com Deus.

O trem partiu rapidamente, suas luzes logo sumiram, e um minuto depois não havia mais nem um ruído, como se tudo houvesse sido tramado de propósito para interromper rapidamente aquele sonho, aquela loucura. Sozinho na plataforma, olhando a escuridão distante, Gúrov ouvia o cricrilar dos grilos e o zumbido dos fios telegráficos, com a sensação de que acabava de despertar. Veio-lhe à mente que na sua vida acontecera mais uma conquista ou uma aventura, e que também esta havia terminado, restando agora uma recordação... Ele estava emocionado, triste, e sentia um leve remorso: pois aquela jovem, que ele nunca mais veria, não fora feliz na sua companhia. Ele tinha sido amistoso e gentil com ela; entretanto, no seu modo de tratá-la, no seu tom e nos seus carinhos, como uma sombra transparecia uma leve caçoada, uma arrogância meio rude do homem feliz que, além do mais, tinha o dobro de sua idade. Todo o tempo ela dizia que ele era bondoso, extraordinário, superior; era evidente que ele lhe parecia diferente do que era na realidade; portanto, sem querer ele a enganou...

Ali, na estação, já se sentia o cheiro do outono e à noite começava a fazer um friozinho.

"Está na hora de voltar para o norte" – pensava Gúrov, deixando a plataforma. "Está na hora!"

III

Em casa, em Moscou, tudo já funcionava como no inverno: acendia-se o fogo nas estufas e, de manhã, quando as crianças se arrumavam para a escola e era servido o chá, ainda estava escuro, e a babá acendia as luzes por pouco tempo. O frio chegara. Quando cai a primeira neve, no primeiro passeio de trenó, é agradável ver o chão e os telhados brancos; a respiração fica leve, agradável, e nesse momento vêm à lembrança os anos de juventude. As velhas tílias e bétulas, brancas de geada, têm uma aparência acolhedora, são mais próximas ao coração do que os ciprestes e palmeiras, e junto a elas já não há vontade de pensar em montanhas e mar.

Gúrov era moscovita e regressou a Moscou num belo dia de inverno. Quando vestiu seu casaco de pele e luvas grossas e saiu para um passeio pela Petrovka*, e quando, mais tarde, no sábado à noite, ouviu o repique dos sinos, sua recente viagem e os lugares onde estivera perderam para ele todo o encanto. Mergulhou aos poucos na vida moscovita, já lia com avidez três jornais diariamente e dizia que, por princípio, não lia jornais de Moscou.

Já tinha vontade de ir aos restaurantes, aos clubes, aos almoços festivos e jubileus, e novamente se sentia lisonjeado por receber em sua casa advogados e artistas famosos e por jogar cartas com um catedrático no clube dos doutores. E já conseguia comer uma porção inteira de caçarola de peixe ou carne, com chucrute...

Gúrov pensava que, passado um mês, Anna Serguêievna ficaria coberta de névoa na sua lembrança e só raramen-

---
* Elegante rua no centro de Moscou. (N.T.)

te apareceria em seus sonhos, com seu sorriso comovente, como as outras apareciam. Porém, mais de um mês havia passado, o inverno estava no auge e na sua memória tudo permanecia tão claro como se ele tivesse se separado de Anna Serguêievna apenas na véspera. As recordações avivavam-se cada vez com mais força. Se no silêncio da tarde chegavam ao seu gabinete as vozes das crianças que faziam seus deveres de casa, se ele ouvia uma romança ou o órgão num restaurante ou se a nevasca começava a uivar na chaminé da lareira – de repente tudo ressuscitava na sua memória: o que acontecera no cais, a madrugada na bruma das montanhas, o vapor de Feodócia, os beijos... Ele caminhava muito tempo pelo aposento, recordando, sorrindo; mais tarde, as lembranças se transformavam em sonhos e na sua imaginação o passado se misturava com o que ainda viria. Anna Serguêievna não era um sonho, ela o seguia por toda parte como uma sombra, observando-o. De olhos fechados, ele a via como uma pessoa viva, e ela lhe parecia mais bonita, mais jovem, mais delicada do que na realidade; também ele próprio se via melhor do que fora em Ialta. À noite, lá estava ela na estante de livros, na lareira, no canto do gabinete, olhando-o; ele ouvia sua respiração e o suave farfalhar de sua roupa. Na rua, ele acompanhava as mulheres com o olhar, procurando alguma parecida com ela...

Gúrov já se sentia angustiado e queria compartilhar com alguém suas lembranças, mas em casa era impossível falar do seu amor, e fora de casa não havia com quem. Não haveria de ser com os inquilinos nem no banco. E sobre o que ele poderia falar? Por acaso naquela ocasião ele sentiu amor? Houve, por acaso, alguma coisa bonita, poética, instrutiva ou simplesmente interessante em sua relação com Anna Serguêievna? O único jeito era falar de maneira indeterminada sobre o amor, as mulheres, e ninguém desconfiava da verdade. Apenas sua esposa levantava as sobrancelhas escuras e dizia:

— O papel de fátuo não combina nem um pouco com você, Dimítri.

Certa vez, à noite, saindo do clube dos doutores na companhia de um funcionário público, seu parceiro no jogo, ele não se conteve e disse:

— Se o senhor tivesse ideia da mulher fascinante que conheci em Ialta!

O funcionário sentou-se no trenó e partiu, mas de repente virou-se e gritou:

— Dmítri Dmítritch!

— O quê?

— O senhor estava certo hoje cedo. O esturjão estava estragado.

De repente, essas palavras, tão comuns, por algum motivo deixaram Gúrov indignado e lhe pareceram humilhantes, impuras. Que costumes selvagens, que caras! Que noites sem sentido, que dias desinteressantes, sem nada de importante! Frenéticos jogos de cartas, comilança, bebedeira, conversas sempre sobre o mesmo assunto. Essas atividades inúteis e as discussões consumiam as melhores parcelas do tempo, as melhores forças, e, no final, restava uma vida limitada, prosaica, uma idiotice, mas sair dela, fugir, era impossível, como se a pessoa estivesse trancada num hospício ou numa penitenciária!

Gúrov não dormiu aquela noite, indignado, e depois passou o dia inteiro com dor de cabeça. Nas noites seguintes também dormiu mal, ficava sentado o tempo todo na cama, pensando, ou caminhava de um lado para o outro. As crianças o entediavam, o banco também, não queria ir a lugar nenhum nem conversar sobre nada.

Em dezembro, nos feriados, ele se preparou para viajar. Disse à mulher que ia a Petersburgo resolver um assunto para um rapaz e foi para S. Para quê? Ele mesmo não sabia bem. Queria ver Anna Serguêievna, falar com ela, marcar um encontro, se possível.

Chegou a S. pela manhã e ocupou o melhor quarto do hotel. O chão era forrado de lã cinzenta grosseira, igual à dos casacões dos soldados; sobre a mesa havia um tinteiro coberto de pó, com um cavaleiro de braço levantado, segurando uma espada e sem cabeça. O porteiro do hotel lhe deu as informações necessárias: von Dideritz morava na rua Staro-Gontchárnaia, em casa própria, perto do hotel. Vivia bem, era rico, tinha carruagem, todos o conheciam na cidade. O porteiro pronunciava Dríderitz.

Gúrov caminhou sem pressa para a rua Staro-Gontchárnaia, procurando a casa. Exatamente na frente dela havia uma longa cerca cinzenta com pregos.

"Qualquer um fugiria dessa cerca" – pensou Gúrov, olhando ora para as janelas, ora para a cerca. E refletia: "Hoje é feriado e o marido provavelmente está em casa. E, de qualquer modo, seria falta de tato entrar na casa e causar um constrangimento. Se eu enviar um bilhete, ele pode cair nas mãos do marido, estragando tudo. O melhor é confiar no acaso." E continuou a caminhar pela rua, perto da casa, esperando por esse acaso... Viu um mendigo entrar no portão e os cachorros o atacarem. Uma hora depois, ouviu um piano, e os sons chegaram até ele fracos, confusos. Provavelmente era Anna Serguêievna quem tocava. De repente, a porta principal se abriu e por ela saiu uma velha; atrás dela corria o lulu branco, seu conhecido. Gúrov quis chamar o cãozinho, mas seu coração disparou e, com a emoção, não conseguiu lembrar o nome do cachorro.

Continuou a caminhar, odiando cada vez mais a cerca cinzenta e, irritado, já pensava que Anna Serguêievna o esquecera, que talvez ela já estivesse se divertindo com outro, o que era perfeitamente natural na situação de uma mulher jovem que era obrigada a ver aquela maldita cerca da manhã à noite. Regressou ao seu quarto de hotel e ficou sentado no divã durante muito tempo, sem saber o que fazer; depois almoçou e em seguida dormiu longamente.

"Como tudo isso é tolo e agitado!" – pensava ele, ao acordar, vendo as janelas escuras: já era noite. "Aí está, dormi demais. E agora, o que vou fazer à noite?"

Ficou sentado na cama forrada com um cobertor cinzento barato, como os de hospital, e se recriminava, aborrecido: "Aí está sua dama do cachorrinho... Aí está sua aventura... Agora fique aqui sentado!"

Naquela mesma manhã, na estação, ele notara um cartaz com letras enormes: pela primeira vez na cidade seria apresentada *A gueixa*.* Lembrou-se disso e rumou para o teatro. "É muito provável que ela vá às estreias" – pensou.

O teatro estava lotado. Ali, como em geral em todos os teatros de província, uma névoa subia acima do lustre e havia muito ruído e agitação na galeria. Na primeira fila, antes do início do espetáculo, os janotas locais esperavam de pé, com as mãos nas costas; no camarote do governador, na cadeira da frente, estava sentada sua filha, de boá; já ele próprio se escondera discretamente atrás da cortina e só eram visíveis suas mãos. No palco a cortina balançava, a orquestra afinava demoradamente os instrumentos. Gúrov o tempo todo procurava avidamente com os olhos, enquanto o público entrava e ocupava seus lugares.

Entrou também Anna Serguêievna. Sentou-se na terceira fila, e quando Gúrov olhou para ela sentiu um aperto no coração, compreendendo claramente que, para ele, naquele momento não existia no mundo ninguém mais próximo, caro e importante. Perdida na multidão provinciana, aquela pequena mulher, sem nada de especial, com um *lorgnon* vulgar na mão, enchia agora toda a sua vida, era a sua dor, a sua alegria, a única felicidade que ele desejava para si; e, ao som de uma orquestra ruim, de violinos mal tocados e simplórios, ele pensava em como ela era bonita. Pensava e sonhava.

---

* Opereta do compositor inglês Sidney Jones (1861-1946), autor popular no final do século XIX e início do século XX. (N.T.)

Junto com Anna Serguêievna, entrou e sentou-se um homem jovem com pequenas suíças, muito alto e meio curvado; a cada passo ele baixava a cabeça, dando a impressão de estar constantemente fazendo reverências. Era com certeza o marido, que, num acesso de amargura, em Ialta, ela chamara de lacaio. De fato, na sua figura esguia, nas suíças, na pequena calva, havia um quê de discrição de lacaio; ele sorria com doçura e em sua lapela brilhava um distintivo de alguma sociedade científica que lembrava uma plaquinha com número de lacaio.

No primeiro intervalo, o marido saiu para fumar e Anna permaneceu na poltrona. Gúrov, que também estava na plateia, aproximou-se dela e disse com voz trêmula, sorrindo forçado:

– Boa noite.

Ela olhou para ele e empalideceu, depois olhou novamente com pavor, sem crer nos seus olhos, e apertou nas mãos o leque junto com o *lorgnon*, aparentemente lutando consigo mesma para não desmaiar. Ficaram calados: ela, sentada; ele, de pé, assustado com o constrangimento dela e sem coragem de se sentar ao seu lado. Soaram as afinações dos violinos e das flautas; de repente os dois ficaram apavorados, pois parecia que de todos os camarotes olhavam para eles. Ela se levantou bruscamente e caminhou depressa para a saída; ele a seguiu e eles foram andando sem saber para onde, pelos corredores, pelas escadas, ora subindo, ora descendo, e na sua frente perpassavam uniformes de funcionários do judiciário, de professores de escolas, de servidores do *udel**, todos com distintivos; vislumbravam-se rapidamente senhoras andando, casacos de pele pendurados nos cabides, e soprava um vento encanado que espalhava o cheiro de tabaco das pontas de cigarros. Gúrov, com o coração batendo apressado, pensava: "Ó Deus, para que essas pessoas, essa orquestra...".

---

* Órgão que administrava as propriedades rurais do tsar na Rússia pré-revolucionária. (N.T.)

Nesse momento, de repente ele se lembrou que naquela noite, na estação, ao se despedir de Anna Serguêievna, ele dissera a si mesmo que tudo estava terminado e que eles não se veriam mais. Mas como ainda estava distante o fim!

Numa escada estreita, sombria, onde estava escrito "Entrada para o anfiteatro", ela parou.

– Que susto o senhor me deu! – disse ela ofegante, ainda pálida e aturdida. – Ai, como me assustou! Estou quase morta. Para que veio aqui? Para quê?

– Me entenda, Anna, me entenda... – disse ele rápido e em voz baixa. – Eu lhe imploro, me entenda...

Ela olhava para ele com terror, com súplica, com amor, olhava fixamente para gravar com firmeza na memória o seu rosto.

– Eu sofro tanto! – continuou ela, sem ouvi-lo. – Todo o tempo só penso no senhor, minha vida é pensar no senhor. E só o que eu queria era esquecer, apenas esquecer. Mas por que, por que o senhor veio?

Num patamar acima deles, dois alunos do ginásio fumavam e olhavam para baixo, mas Gúrov não se importou, puxou Anna Serguêievna para si e começou a beijar seu rosto, suas mãos.

– Que está fazendo, que está fazendo! – dizia ela aterrorizada, afastando-o de si. – Nós dois enlouquecemos. Parta hoje mesmo, parta agora... Eu lhe suplico, por todos os santos, eu lhe imploro... Vem vindo gente!

Alguém vinha subindo a escada.

– O senhor deve ir embora... – sussurrou Anna Serguêievna. – Está ouvindo, Dmítri Dmítritch? Vou me encontrar com o senhor em Moscou. Eu nunca fui feliz, sou infeliz agora, e nunca, nunca serei feliz, nunca! Não me faça sofrer ainda mais! Juro que vou a Moscou. Mas agora vamos nos separar. Meu querido, meu bom amigo, meu amor, vamos nos separar!

Ela apertou a mão dele e desceu rapidamente a escada, voltando-se o tempo todo para olhá-lo, e nos seus olhos via-se que realmente ela não era feliz... Gúrov ficou ali de pé por algum tempo, de ouvido atento, depois, quando tudo silenciou, pegou seu casaco e saiu do teatro.

IV

Anna Serguêievna passou a encontrá-lo em Moscou. Uma vez a cada dois ou três meses, ela partia de S. e dizia ao marido que ia consultar um professor por causa de um problema ginecológico – o marido acreditava e não acreditava. Em Moscou, ela se hospedava no Slaviánski Bazar* e imediatamente enviava a Gúrov um mensageiro. Gúrov ia vê-la e ninguém em Moscou sabia disso.

Ele caminhava ao encontro dela no hotel, em certa manhã de inverno (o mensageiro estivera em sua casa na noite anterior, mas não o encontrara), e com ele ia sua filha, que ele tivera vontade de acompanhar até o ginásio, localizado no caminho. Caía uma neve graúda e úmida.

– Está fazendo três graus acima de zero e mesmo assim está nevando – dizia Gúrov à filha. – É porque está quente apenas na superfície da terra. Já nas camadas mais altas da atmosfera a temperatura é completamente diferente.

– Papai, por que não há trovões no inverno?

Ele explicou isso também. Enquanto falava, ele pensava que estava indo para um encontro e que ninguém sabia disso, e provavelmente ninguém jamais saberia. Ele tinha duas vidas: uma evidente, que aqueles que achavam isso importante viam e conheciam, uma vida cheia de verdades convencionais e de mentiras convencionais, exatamente igual à vida de seus conhecidos e amigos; e outra vida que transcorria em segredo. Por uma estranha e talvez fortuita coincidência, tudo o que para ele era relevante, interessan-

---

* Hotel que havia no centro de Moscou. (N.T.)

te, indispensável, aquilo em que ele era sincero e não enganava a si mesmo, que constituía o âmago de sua vida, não era do conhecimento das outras pessoas, e tudo o que era sua mentira, sua casca, na qual ele se escondia para encobrir a verdade, como, por exemplo, seu trabalho no banco, as discussões no clube, sua "raça inferior", o comparecimento com a esposa aos jubileus, tudo isso transcorria às claras. E ele julgava os outros por si mesmo, não acreditava no que via, supondo sempre que para cada pessoa, sob o manto do segredo, assim como sob o manto da noite, se passava a sua verdadeira vida, a mais interessante. Cada existência pessoal sustenta-se no segredo, e talvez seja por isso que o homem educado exige tão nervosamente respeito à sua privacidade.

Depois de deixar a filha no ginásio, Gúrov se dirigiu ao Slaviánski Bazar. Ainda na portaria tirou o casaco de pele, subiu e bateu levemente na porta. Anna Serguêievna, com o vestido cinza de que ele mais gostava, cansada da viagem e da espera, aguardava-o desde a noite anterior; estava pálida, olhava para ele sem sorrir e, assim que ele entrou, apertou-se contra o seu peito. Como se tivessem passado uns dois anos sem se ver, seu beijo foi longo, demorado.

– Então, como vai a vida lá? – perguntou ele. – Quais as novidades?

– Espere, já vou dizer... Não consigo.

Ela não conseguia falar porque estava chorando. Ficou de costas para ele e cobriu os olhos com o lenço. "Bem, que chore um pouco, enquanto isso vou me sentar" – pensou ele, acomodando-se na poltrona.

Depois tocou a sineta e pediu que trouxessem chá; e enquanto ele bebia o chá, ela continuava de pé, voltada para a janela... Ela chorava porque sentia angústia e também porque tinha a amarga consciência do rumo triste que suas vidas haviam tomado; eles se viam apenas às escondidas, ocultavam-se dos demais como se fossem ladrões! Por acaso as suas vidas não estavam destruídas?

— Ora, vamos, pare de chorar! — disse ele.

Estava evidente para ele que aquele amor não terminaria tão cedo, mas quando, isso era impossível saber. Anna Serguêievna apegava-se a ele cada vez mais, adorava-o, e seria inconcebível dizer a ela que aquilo algum dia deveria ter um fim; e ela nem acreditaria nisso.

Ele se aproximou e pôs as mãos nos seus ombros, para fazer um carinho, um gracejo, e nesse momento viu-se no espelho.

Seus cabelos já começavam a ficar grisalhos. Ele achou estranho que tivesse envelhecido tanto ultimamente e que estivesse com tão má aparência. Os ombros em que descansavam suas mãos estavam quentes e tremiam. Sentiu compaixão por essa vida que ainda tinha calor e beleza, mas que provavelmente já estava próxima de começar a perder a cor e a murchar, do mesmo modo que a vida dele. Por que ela o amava daquela maneira? Ele sempre parecera às mulheres ser outra pessoa, diferente do que era na realidade, e elas amavam não a ele, mas alguém que sua imaginação havia criado, alguém que elas procuravam ansiosamente em suas vidas. E, mais tarde, quando percebiam seu engano, ainda continuavam a amá-lo. E nenhuma fora feliz com ele. O tempo passava, ele conhecia outra mulher, começava uma nova relação, depois se afastava, mas não amou nem uma vez; chame-se aquilo como se quiser, apenas não era amor. E somente agora, quando sua cabeça já estava ficando grisalha, ele começou a amar de verdade, como deveria – e pela primeira vez em sua vida.

Anna Serguêievna e Gúrov amavam-se como duas pessoas muito íntimas, como marido e mulher, como ternos amigos; parecia-lhes que o próprio destino escolhera um para o outro, e não entendiam por que ele tinha uma esposa e ela um marido; era como se eles fossem duas aves migratórias, macho e fêmea, que foram capturadas e obrigadas a viver em gaiolas separadas. Eles perdoaram um ao outro aquilo de que se envergonhavam no seu passado, perdoaram tudo do presente e sentiam que seu amor havia transformado a ambos.

Antes, nos momentos tristes, ele se tranquilizava com todo tipo de racionalizações que viessem à sua cabeça, mas agora ele não queria ser racional, pois a compaixão que sentia era profunda e ele queria ser sincero, carinhoso.

– Pare de chorar, minha querida – dizia ele –, chorou um pouco, já chega... Agora vamos conversar, pensar em alguma coisa...

Eles ficaram longamente trocando conselhos, falaram de como se livrar da necessidade de se esconder, de enganar, de viver em cidades diferentes, de ficar muito tempo sem se ver. Como se livrar dessas cadeias insuportáveis?

– Como? Como? – perguntava ele com as mãos na cabeça. – Como?

E parecia que, mais um pouquinho, a solução seria encontrada, e então uma nova vida começaria, uma vida maravilhosa; porém, para ambos estava claro que ainda estava muito longe o fim e que o mais complicado e difícil estava apenas começando.

Dezembro de 1899

A noiva

I

Já eram umas dez horas da noite, e sobre o jardim brilhava a lua cheia. Pouco antes, na casa dos Chúmin, terminara o ofício das vésperas que a avó Marfa Mikháilovna havia encomendado, e agora Nádia, que saíra ao jardim por alguns instantes, podia ver a mesa na sala ser arrumada para a ceia, e também sua avó, que andava de um lado para o outro no seu suntuoso vestido de seda; o padre Andrei, arcipreste da catedral, conversava com a mãe de Nádia, Nina Ivânovna, que, naquele momento, vista através da janela, na luz noturna, por alguma razão parecia muito jovem; perto deles, de pé, estava o filho do padre Andrei, Andrei Andrêitch, ouvindo-os atentamente.

O jardim estava silencioso, fresco, e sombras escuras, tranquilas, estendiam-se pela terra. Ao longe, bem distante, talvez fora da cidade, ouvia-se o coaxar das rãs. Tinha-se a sensação de estar em maio, o adorável mês de maio! Respirava-se profundamente e dava vontade de pensar que não aqui, mas sim em outro lugar, sob o céu, acima das árvores, lá longe, fora da cidade, nos campos e bosques, a vida primaveril explodira, misteriosa, rica e sagrada, inacessível à compreensão do homem, esse fraco pecador. E, por alguma razão, dava vontade de chorar.

Nádia tinha já 23 anos; desde os dezesseis ela sonhava ardentemente com o casamento e agora estava noiva de Andrei Andrêitch, o mesmo que estava de pé junto à janela; ele era do seu agrado, o casamento já estava marcado para sete de julho, entretanto ela não estava feliz; dormia mal à noite, a alegria desaparecera...

Através da janela aberta do porão, onde ficava a cozinha, ouvia-se o barulho das pessoas se apressando, batendo com as facas, empurrando a porta de vai e vem; sentia-se o cheiro de peru assado e de cerejas marinadas. E, por algum motivo, parecia que dali em diante a vida toda seria assim, sem mudanças, sem fim!

De repente, alguém saiu da casa e ficou parado no patamar da entrada: era Aleksandr Timofêitch ou, simplesmente, Sacha, um hóspede que chegara de Moscou uns dez dias antes. Há muito tempo, a avó costumava receber a visita de uma parenta distante, Mária Petróvna, que vinha em busca de caridade. Era uma aristocrata empobrecida, viúva, pequena, magrinha e enferma. Ela tinha um filho, Sacha. Por alguma razão, dizia-se que ele era um artista maravilhoso e, quando sua mãe morreu, a avó, no intuito de salvar a própria alma, mandou-o para Moscou, para o Educandário Komissárovski. Uns dois anos mais tarde, ele se transferiu para uma escola de pintura, onde ficou cerca de quinze anos e, com muita dificuldade, terminou o curso de arquitetura, a qual nunca praticou, indo trabalhar numa das litografias de Moscou. Quase todo verão ele vinha, geralmente muito doente, para a casa da avó a fim de descansar e engordar.

Ele estava com um casaco abotoado e calças de brim puídas na barra. A camisa não estava passada e ele todo tinha um aspecto um tanto gasto.

Muito magro, de olhos grandes, dedos compridos e finos, barbado, escuro e, mesmo assim, bonito. Ele estava acostumado com os Chúmin como se fossem seus parentes e sentia-se em casa ali. O quarto onde costumava ficar havia muito era chamado de quarto do Sacha.

Do alto da escada ele avistou Nádia e foi ao encontro dela.

– É bom aqui na sua casa – disse ele.

– Claro que é bom. Você deveria ficar aqui até o outono.

– É, ao que parece, vou ter de ficar. Talvez eu fique até setembro.

Ele riu sem motivo e sentou-se ao lado dela.

– Sabe, eu estou aqui sentada, vendo a minha mãe – disse Nádia. – Daqui ela parece tão jovem! Minha mãe, é claro, tem algumas fraquezas – acrescentou ela, depois de uma pausa – mas, apesar de tudo, ela é uma mulher extraordinária.

– É, ela é boa... – concordou Sacha. – Sua mãe, a seu modo, é uma mulher muito boa e agradável, é claro, mas... como vou lhe dizer? Hoje de manhã eu entrei na cozinha de vocês, e lá quatro empregados dormiam diretamente no chão. Não há camas; em vez disso, trapos, mau cheiro, percevejos, baratas... Exatamente como há vinte anos, sem nenhuma mudança. A avó, vá lá, ela, afinal, é velhinha; mas sua mãe, creio que fala francês, toma parte em espetáculos... Acho que poderia entender.

Quando Sacha falava, estendia diante do ouvinte dois dedos compridos e magros.

– Tudo aqui me parece absurdo, pois não estou acostumado – continuou ele. – Ninguém faz nada, sabe-se lá por quê. A mãezinha só faz passear o dia inteiro, como se fosse alguma duquesa; a vovó também não faz nada, e você, também não. E seu noivo, Andrei Andrêitch, também não faz nada.

Nádia já ouvira isso no ano anterior e, provavelmente, dois anos antes também, e sabia que Sacha não era capaz de pensar de outra maneira, mas o que antes a fazia rir, agora, por alguma razão, a aborreceu.

– Tudo isso é velho e já cansou há muito tempo – disse ela, levantando-se. – Você devia pensar em algo mais novo.

Ele riu e ergueu-se também, e os dois caminharam em direção à casa. Alta, bonita, delgada, agora, ao lado dele, ela tinha um aspecto muito saudável e bem-arrumado; ela percebeu isso e sentiu pena dele, mas, por alguma razão, ficou constrangida.

— Você fala demais — disse ela. — Por exemplo, ainda há pouco você falou sobre o meu Andrei, mas você não o conhece.

— Meu Andrei... Que me importa o seu Andrei! Eu sinto pena é da sua juventude.

Quando entraram na sala, já estavam todos sentados para a ceia: a avó, ou, como a chamavam em casa, a vovozinha, muito gorda, feia, de sobrancelhas grossas e bigodinho. Falava alto, e apenas por sua voz e maneira de se expressar percebia-se que era ela quem mandava na casa; era proprietária de uma ala de lojas no mercado e de uma casa antiga com colunas e jardim, mas todas as manhãs rezava para que Deus a livrasse da ruína e, nesse momento, chorava. Sua nora, mãe de Nádia, Nina Ivânovna, uma loura de cintura muito apertada, de *pince-nez* e com brilhantes em cada dedo. O padre Andrei, velho, magricela, desdentado, com cara de quem vai contar algo muito engraçado; e seu filho, Andrei Andrêitch, noivo de Nádia, saudável e bonito, de cabelos cacheados, parecido com um artista ou um pintor. Os três últimos conversavam sobre hipnotismo.

— Aqui você vai engordar em uma semana — disse a vovó, dirigindo-se a Sacha —, só tem de comer mais. O que você está parecendo! — suspirou ela. — Está horrível! Um filho pródigo é o que você é.

— ...e lá dissipou os bens do seu pai — pronunciou lentamente padre Andrei, com olhos sorridentes —, e o maldito foi pastorear animais irracionais...

— Eu amo meu paizinho — disse Andrei Andrêitch, passando a mão no ombro do pai. — Excelente velho. Bom velho.

Todos se calaram. De repente, Sacha começou a rir e tapou a boca com o guardanapo.

– Quer dizer que a senhora crê no hipnotismo? – perguntou o padre Andrei a Nina Ivânovna.

– Não posso, é claro, afirmar que acredito – respondeu Nina Ivânovna, dando ao seu rosto uma expressão séria, quase severa –, mas devo reconhecer que na natureza há muita coisa misteriosa que nós não compreendemos.

– Concordo plenamente com a senhora, embora deva acrescentar que a fé reduz para nós o campo do mistério.

Foi servido um peru grande e muito gordo. O padre Andrei e Nina Ivânovna continuaram sua conversa. Os brilhantes cintilavam nos dedos de Nina Ivânovna; depois, nos seus olhos brilharam lágrimas: ela ficara emocionada.

– Embora eu não ouse discutir com o senhor – disse ela –, há de concordar que na vida existem muitos enigmas não explicados.

– Nenhum, ouso lhe afirmar.

Depois da ceia, Andrei Andrêitch tocou violino e Nina Ivânovna acompanhou ao piano. Dez anos antes, ele terminara o curso de letras na universidade, mas não trabalhava em nenhum lugar, não tinha ocupação definida, apenas uma vez ou outra participava de concertos beneficentes; na cidade, era chamado de artista.

Andrei Andrêitch tocava; todos ouviam em silêncio. Sobre a mesa, o samovar fervia sem ruído, e somente Sacha tomava chá. Quando o relógio bateu a meia-noite, de repente rebentou uma corda do violino. Todos começaram a rir, a se agitar e se despedir.

Depois de acompanhar o noivo até a porta, Nádia subiu para o seu quarto, no andar de cima, onde vivia com a mãe (a avó ocupava o andar inferior). Lá embaixo, na sala, começaram a apagar as luzes, mas Sacha continuava sentado, tomando chá. Ele sempre tomava chá demoradamente, como um moscovita: uns sete copos de cada vez. Já deitada, durante muito tempo ainda Nádia ouviu a criadagem fazendo sua arrumação e a avó se irritando. Finalmente tudo se aquietou, e somente de vez em quando se ouvia a tosse grave de Sacha em seu quarto no andar de baixo.

II

Quando Nádia acordou, deviam ser duas horas da madrugada e já começava a clarear.* Ao longe, em algum lugar, o vigia noturno batia sua matraca. Nádia não tinha sono, a cama era macia demais e ela achava incômodo ficar deitada. Como vinha acontecendo todas as noites do mês de maio, Nádia sentou na cama e ficou pensando. Os pensamentos eram os mesmos da noite anterior, sempre iguais, inúteis, obsessivos; ela recordava como Andrei Andrêitch começara a cortejá-la, como a tinha pedido em casamento, e como ela aceitara e depois, aos poucos, passara a valorizar aquele homem inteligente e bondoso. Mas agora, quando faltava menos de um mês para o casamento, sem saber por que ela começou a sentir medo, inquietação, como se alguma coisa indefinida e penosa a esperasse.

"Tac-tac, tac-tac..." – fazia soar preguiçosamente sua matraca o vigia. "Tac-tac..."

Pela janela grande e antiga podia-se ver o jardim, com os arbustos de lilases mais distantes, densamente cobertos de flores, sonolentos e murchos de frio; uma névoa branca, espessa, flutuava em direção aos lilases, querendo encobri-los. Ao longe, nas árvores, gralhas ainda com sono crocitavam.

– Meu Deus, por que está sendo tão difícil para mim? Talvez toda noiva sinta o mesmo antes do casamento. Quem sabe?! Ou será que há aqui influência de Sacha? O fato é que Sacha vem falando as mesmas coisas por vários anos seguidos, como se fosse algo decorado, e o que ele diz parece ingênuo e estranho. Então por que, apesar disso, Sacha não me sai da cabeça? Por quê?

---

* No verão, na latitude onde está situada a parte europeia da Rússia, a noite é muito curta, escurece tarde e clareia muito cedo. (N.T.)

Já fazia muito tempo que o vigia tinha parado com suas batidas. Debaixo da janela, no jardim, os pássaros iniciaram sua algazarra; a névoa sumiu, tudo em volta ficou iluminado por uma sorridente luz primaveril. Em pouco tempo todo o jardim, acariciado, aquecido pelo sol, criou vida; gotas de orvalho cintilavam nas folhas, como diamantes, e, naquela manhã, o velho e descuidado jardim parecia jovem e enfeitado.

A vovó já estava acordada. Sacha tossiu com sua voz áspera de baixo. Podia-se ouvir que já estavam servindo o samovar e movimentavam-se cadeiras.

As horas passam devagar. Há muito que Nádia está de pé e já deu um passeio pelo jardim, mas a manhã ainda se arrasta.

Surge Nina Ivânovna segurando um copo de água mineral e com olhos de quem havia chorado. Ela estudava espiritismo, homeopatia, lia muito, gostava de falar sobre suas dúvidas e, para Nádia, parecia que tudo isso encerrava um sentido profundo e misterioso. Ela beijou a mãe e caminhou ao seu lado.

– Por que você chorou, mamãe? – perguntou.

– Ontem, antes de dormir, comecei a ler uma novela em que há a descrição de um velho e sua filha. O velho trabalha em alguma repartição e seu chefe se apaixona pela filha dele. Não terminei ainda de ler, mas há lá um certo trecho em que é difícil conter as lágrimas – disse Nina Ivânovna, tomando um gole de água do copo. – Hoje de manhã me lembrei disso e chorei novamente.

– Todos esses dias eu não tenho sentido nenhuma alegria – disse Nádia depois de um silêncio. – Por que será que não durmo à noite?

– Não sei, meu bem. Eu, quando não consigo dormir à noite, fecho bem os olhos, assim, veja, e fico imaginando Anna Karênina andando, falando, ou então imagino algum fato histórico, do mundo antigo...

Nádia sentiu que sua mãe não a compreendia e nem podia compreender. Sentiu isso pela primeira vez na vida e ficou apavorada. Teve vontade de se esconder e foi para o seu quarto.

Às duas horas, sentaram-se para almoçar. Era quarta-feira, dia de jejum, por isso serviram à avó borche* sem carne e brema** com cacha.***

Para provocar a avó, Sacha comeu sua sopa com carne e também a sem carne. Ele gracejava o tempo todo durante o almoço, mas seus gracejos eram pesados, sempre com fundo moral, e não tinha nenhuma graça quando ele, antes de dizer algo espirituoso, apontava para o alto seus dedos compridos e descarnados, como os de um defunto. E quando vinha à lembrança das pessoas que ele estava muito doente e talvez não durasse muito tempo neste mundo, dava vontade de chorar de pena dele.

Depois do almoço, a vovó foi descansar em seu quarto. Nina Ivânovna tocou um pouco de piano e depois também se retirou.

– Ah, querida Nádia – começou Sacha a sua habitual conversa de depois do almoço –, se você me ouvisse! Se me ouvisse!

Ela estava afundada numa velha poltrona, de olhos fechados, enquanto ele caminhava pela sala.

– Se você fosse embora daqui para estudar! – dizia ele. – Só as pessoas instruídas são interessantes, só elas são necessárias. Quanto mais pessoas assim houver na terra, mais rápido há de se instaurar o reino de Deus. Desta sua cidade, aos poucos não restará pedra sobre pedra – tudo irá para o espaço, ficará de pernas para o ar, tudo vai se transformar, como num passe de mágica. E vai haver aqui edifícios imensos e magníficos, jardins maravilhosos, fontes fantás-

---

* Sopa de beterraba e outros legumes. (N.T.)

** Tipo de peixe de rio, aparentado com as carpas. (N.T.)

*** Ver nota da página 43. (N.T.)

ticas, pessoas admiráveis... Mas o mais importante não é isso. O mais importante é que não haverá essa turba que nós conhecemos hoje, não haverá essa coisa ruim, porque cada ser humano vai acreditar e saber a razão de sua existência e ninguém vai procurar apoio na multidão. Minha boa amiga, minha querida, vá embora! Mostre a todos que esta vida imóvel, cinzenta, esta vida cheia de culpa já cansou você. Mostre isso nem que seja a você mesma.

– É impossível, Sacha. Vou me casar.

– Ora, pare! Que importância tem isso?

Saíram para o jardim e caminharam um pouco.

– De qualquer maneira, minha querida, é preciso refletir e entender como é pecaminosa, imoral, essa vida ociosa de vocês – continuou Sacha. – Compreenda que se, por exemplo, você, sua mãe e sua vovozinha não fazem nada, isso significa que no lugar de vocês alguém trabalha, e vocês estão consumindo uma vida que não lhes pertence. Será que isso é limpo? Não é uma coisa suja?

Nádia queria dizer: "Sim, isso é verdade"; queria dizer que ela compreendia, mas lágrimas brotaram nos seus olhos; de repente ela se fechou no silêncio, se encolheu e foi para o seu quarto.

À noite chegou Andrei Andrêitch e, como de hábito, ficou muito tempo tocando violino. Em geral, era de poucas palavras, e talvez gostasse desse instrumento exatamente porque podia ficar calado enquanto tocava. Depois das dez horas, ao sair, ele abraçou Nádia e pôs-se a beijar ardentemente seu rosto, seus ombros, suas mãos.

– Minha querida, minha amada, criatura maravilhosa! – balbuciava ele. – Oh, como estou feliz! Estou louco de felicidade!

Pareceu a Nádia que ela já ouvira isso muito tempo atrás, muito tempo mesmo, ou que lera em algum lugar... Talvez num velho romance rasgado que alguém largara por ali em algum momento do passado.

Sacha estava na sala, sentado junto à mesa tomando chá, equilibrando o pires em seus cinco longos dedos.*
A vovó arrumava as cartas para o jogo de paciência e Nina Ivânovna lia. A chamazinha na lamparina votiva crepitava, e tudo parecia estar correndo bem. Nádia deu boa noite, subiu para o seu quarto e deitou-se, adormecendo logo em seguida. Mas, como na noite anterior, assim que começou a clarear ela acordou. Perdeu o sono; seu espírito estava perturbado por algo penoso e agitado. Ficou sentada com a cabeça apoiada nos joelhos e pensando no noivo, no casamento... Por algum motivo, lembrou-se de que sua mãe não amava o falecido marido e agora não possuía nada, vivendo na dependência total de sua sogra, a vovó. E, por mais que pensasse, Nádia não conseguia entender por que, até aquela data, ela vira em sua mãe algo de especial, extraordinário, por que não havia notado que ela era uma mulher comum, simples e infeliz.

Embaixo, Sacha também não dormia: ouvia-se a sua tosse. "É uma pessoa estranha, ingênua", pensava Nádia, "e nos seus sonhos, nesses jardins maravilhosos, nas fontes fantásticas, percebe-se algo meio maluco." Mas, por alguma razão, na sua ingenuidade e até mesmo nessa maluquice havia algo maravilhoso e, mal ela começava a pensar em partir para estudar, sentia um friozinho invadindo seu peito e seu coração, seguido de um sentimento de alegria e entusiasmo.

– Mas é melhor não pensar, é melhor não pensar... – sussurrava. – Não devo pensar nisso.

"Tac-tac..." – matraqueava o vigia ao longe. "Tac-tac..."

III

Em meados de junho, Sacha começou a se entediar e resolveu voltar para Moscou.

---

* É uma tradição antiga dos russos tomar chá no pires para esfriar mais depressa. (N.T.)

– Não consigo viver nesta cidade – disse ele com ar sombrio. – Sem água encanada, sem esgotos! Tenho nojo quando vou almoçar: a sujeira na cozinha é insuportável...

– Mas espere, filho pródigo! – tentava a avó convencê-lo, sussurrando, por algum motivo. – Dia sete é o casamento.

– Não tenho vontade.

– Mas você queria ficar conosco até setembro!

– Mas agora não quero. Preciso trabalhar.

Naquele ano, o verão foi frio e úmido, as árvores estavam molhadas, no jardim tudo parecia pouco convidativo, melancólico – dava realmente vontade de trabalhar. Nos quartos, embaixo e em cima, ouviam-se vozes femininas estranhas, soavam batidas da máquina de costura no quarto da vovó: é que se apressavam para terminar o enxoval. Somente casacos de pele, Nádia ia receber seis, e o mais barato deles, nas palavras da avó, custara trezentos rublos! A agitação deixava Sacha irritado; com um péssimo humor, ele não saía do seu quarto; no entanto, conseguiram convencê-lo a ficar, e ele deu sua palavra de que iria embora no dia primeiro de julho, não antes disso.

O tempo passava com rapidez. No dia de São Pedro, depois do almoço, Andrei Andrêitch foi com Nádia à rua Moskóvskaia para mais uma vez olhar a casa que havia sido alugada e que estava sendo preparada para o jovem casal. Era uma casa de dois andares, mas apenas o andar de cima estava arrumado. A sala tinha um assoalho brilhante, com pintura imitando tacos, cadeiras vienenses, um piano de cauda e suporte para o violino. Cheirava a tinta. Na parede havia um quadro grande de moldura dourada, com a pintura a cores de uma mulher nua ao lado de um vaso lilás com uma asa quebrada.

– Que quadro maravilhoso! – disse Andrei Andrêitch, suspirando respeitoso. – É do pintor Chichmatchévski.

Mais adiante ficava a sala de visitas, com uma mesa redonda, um sofá e poltronas forrados de tecido azul-claro.

Na parede, acima do sofá, estava pendurada uma fotografia em tamanho grande do padre Andrei, de barrete de clérigo e medalhas. Depois passaram à sala de jantar, onde havia um bufê, e em seguida ao dormitório. Neste último, na penumbra, viam-se lado a lado duas camas, e tudo indicava que, quando o quarto estava sendo mobiliado, tinha-se em vista que tudo ali seria sempre maravilhoso e que de outra forma não poderia ser. Andrei Andrêitch conduzia Nádia pelos aposentos, segurando-a o tempo todo pela cintura; quanto a ela, sentia-se fraca, culpada, com ódio de todos aqueles cômodos, camas, poltronas, e constrangida com a dama nua. Já estava claro para ela que deixara de amar Andrei Andrêitch ou que, talvez, nunca o tivesse amado. No entanto, como dizer isso, e com que finalidade, ela não conseguia entender. E nem poderia, embora pensasse nisso todos os dias e todas as noites... Ele a segurava pela cintura, falava-lhe com carinho, sem alarde, estava tão feliz caminhando por sua nova casa, mas ela via em tudo apenas vulgaridade, uma vulgaridade tola, ingênua, insuportável, e o braço dele, que enlaçava sua cintura, parecia-lhe rígido e gelado como um aro de barril. A cada minuto ela tinha vontade de fugir, soluçar, jogar-se pela janela. Andrei Andrêitch conduziu-a ao banheiro, onde tocou numa torneira instalada na parede e, de repente, a água jorrou.

— Que acha disso? — disse ele, rindo. — Mandei colocar no sótão uma caixa de 120 litros, e agora nós vamos ter água.

Deram uma caminhada no pátio, depois saíram para a rua e tomaram um coche. O pó se erguia em densas nuvens e parecia que dali a pouco iria chover.

— Não está sentindo frio? — perguntou Andrei Andrêitch, franzindo os olhos por causa da poeira.

Ela permaneceu calada.

— Ontem, você se lembra, Sacha me censurou por eu não fazer nada — disse ele após um instante de silêncio.

– Pois que seja, ele está correto! Infinitamente correto! Eu não faço nada nem posso fazer. Minha querida, por que isso acontece? Por que eu tenho horror só de pensar que um dia vou colocar um quepe* na cabeça e vou trabalhar? Por que me sinto mal quando vejo um advogado, um professor de latim ou um membro do judiciário? Ó mãe Rússia! Quantos você carrega, ociosos e inúteis! Quantos, como eu, você suporta, mãe sofredora!

E ele generalizava o fato de não fazer nada, vendo nisso um sinal dos tempos.

– Quando nos casarmos – continuou ele –, vamos juntos para a aldeia, minha querida, e vamos trabalhar lá! Vamos comprar um pequeno lote de terra com um jardim, à beira de um rio, vamos trabalhar, observar a vida... Oh, como vai ser bom!

Ele tirou o chapéu e seus cabelos esvoaçaram com o vento, e ela o ouvia e pensava: "Meu Deus, quero ir para casa! Meu Deus!" Já quase chegando em casa, eles ultrapassaram um coche em que ia o padre Andrei.

– Olha lá o meu pai! – disse Andrei Andrêitch alegremente, acenando com o chapéu. – Como eu gosto do meu paizinho, gosto mesmo! – disse ele, enquanto pagava ao cocheiro. – É um velho formidável. Que velho bom!

Nádia entrou em casa irritada, indisposta, pensando que haveria visitas durante a noite toda, que seria necessário dar atenção a elas, sorrir, ouvir o violino, escutar toda sorte de asneiras e conversar unicamente sobre o casamento. A avó, imponente, pomposa no seu vestido de seda, autoritária, como acontecia quando havia visitas, estava sentada junto ao samovar. Entrou o padre Andrei com seu sorriso astuto.

– Tenho a satisfação e o abençoado consolo de vê-la em perfeita saúde – disse ele, dirigindo-se à avó, e era difícil saber se estava brincando ou falando sério.

---

* Na Rússia tsarista, as pessoas que trabalhavam no serviço público geralmente usavam uniformes. (N.T.)

IV

O vento golpeava as janelas e o telhado; ouvia-se um assobio e, no fogão, o *domovói** entoava sua cançãozinha com um lamento lúgubre. Já passava da meia-noite. Todos na casa já estavam deitados, mas ninguém dormia, e Nádia continuava com a impressão de que lá embaixo alguém tocava violino. Ouviu-se um ruído brusco, provavelmente se soltara um dos contraventos de alguma janela. Um minuto depois entrou Nina Ivânovna de camisola, segurando uma vela.

– Que barulho foi esse, Nádia? – perguntou ela.

A mãe, com o cabelo preso numa única trança e com um sorriso tímido, naquela noite tempestuosa parecia mais velha, feia, mais baixa. Nádia se lembrou de como até recentemente ela achava que sua mãe era extraordinária e de como ouvia suas palavras com orgulho; agora não conseguia se lembrar que palavras eram essas; tudo o que lhe vinha à memória era medíocre, sem utilidade.

No fogão, ouviu-se o canto de algumas vozes de baixos, e até se ouviu alguém dizer: "A-a-ah, meu De-e-eus!" Nádia sentou-se na cama e de repente agarrou com força os cabelos, pondo-se a soluçar.

– Mamãe, mamãe – disse ela –, mãezinha querida, se você soubesse o que estou passando! Eu lhe peço, suplico, me deixe ir embora! Eu lhe imploro!

– Para onde? – perguntou Nina Ivânovna sem entender, sentando-se na cama. – Ir para onde?

Nádia chorou durante muito tempo, sem conseguir pronunciar nem uma palavra.

– Me deixe ir embora desta cidade! – disse ela finalmente. – Não deverá haver esse casamento, e não haverá, entenda isso! Eu não amo esse homem... Não consigo nem falar nele.

---

* No folclore russo, duende da casa. (N.T.)

– Não, minha filha, não – apressou-se em dizer Nina Ivânovna, terrivelmente assustada. – Acalme-se, você está indisposta. Vai passar. Isso acontece. Na certa você brigou com Andrei, mas tudo não passa de arrufos de namorados.

– Ah, vá embora, mamãe, vá embora! – disse Nádia entre soluços.

– É... – disse Nina Ivânovna depois de uma pausa. – Há pouco tempo você era uma menina, uma criança, e agora já está noiva. Na natureza tudo se transforma constantemente. E você não vai perceber quando se tornar mãe, quando envelhecer e tiver uma filha tão rebelde como eu tenho.

– Minha boa e querida mãe, você é inteligente, você é infeliz – disse Nádia –, você é muito infeliz. Então por que você fala essas coisas banais? Pelo amor de Deus, por quê?

Nina Ivânovna queria dizer alguma coisa, mas não conseguiu pronunciar nem uma palavra. Soltou um soluço e foi para o seu quarto. As vozes dos baixos ressoaram novamente no fogão, tudo ficou tenebroso de repente. Nádia saltou da cama e correu para o quarto da mãe. Nina Ivânovna estava deitada, com cara de choro, coberta por um cobertor azul-claro e segurando um livro.

– Mamãe, me ouça! – disse Nádia. – Eu lhe suplico, ouça e entenda! Apenas entenda o quanto é insignificante e humilhante essa nossa vida. Meus olhos se abriram, agora eu vejo tudo. E o que é esse seu Andrei Andrêitch? Ele não é inteligente, mamãe! Oh, meu Deus! Entenda, mamãe, ele é um tolo!

Nina Ivânovna sentou-se bruscamente.

– Você e sua avó me torturam! – disse ela com um soluço. – Eu quero viver! Viver! – repetiu, batendo duas vezes no peito com o punho. – Deixe-me ser livre! Eu ainda sou jovem, quero viver, e vocês fizeram de mim uma velha!

Ela chorou com amargura, deitou-se e ficou encolhida debaixo do cobertor, e nessa posição ela parecia bem pequena, bobinha e lastimável. Nádia foi para o seu quarto, vestiu-se e ficou esperando amanhecer, sentada junto à janela. Ficou a noite toda ali, pensando, e enquanto isso algo continuava a bater e a assoviar no contravento da janela.

De manhã a avó se queixou de que durante a noite o vento derrubara todas as maçãs e quebrara uma velha cerejeira. Tudo estava tão cinzento, embaçado e sem graça, que até foi preciso acender o fogo; todos se queixavam do frio, a chuva tamborilava nas janelas. Depois do chá, Nádia foi ao quarto de Sacha e, sem dizer uma palavra, ajoelhou-se no canto junto à poltrona, cobrindo o rosto com as mãos.

– O que aconteceu? – perguntou Sacha.

– Não consigo... – disse ela. – Como eu podia viver aqui antes, não compreendo, não consigo entender! Desprezo o meu noivo, desprezo a mim mesma, desprezo toda essa vida de ociosidade, essa vida sem sentido...

– Ora, vamos, vamos... – pronunciou Sacha, ainda sem entender o que se passava. – Não é nada... Isso é bom.

– Estou farta desta vida – continuou Nádia –, não vou aguentar nem mais um dia aqui. Amanhã mesmo vou embora. Me leve com você, pelo amor de Deus.

Sacha ficou um minuto olhando para ela, espantado; finalmente entendeu e ficou alegre como uma criança. Agitou os braços e começou a bater com os sapatos no chão, como se estivesse dançando de alegria.

– Formidável! – disse ele, esfregando as mãos. – Ó Deus, como isso é bom!

Nádia olhava para ele sem piscar, de olhos abertos e apaixonados, como se estivesse enfeitiçada e à espera de que logo, logo ele fosse dizer algo significativo e infinitamente importante; ele nada dissera ainda, mas já lhe parecia que à sua frente se abria alguma coisa nova e ampla que ela antes não conhecia, e ela já olhava para ele cheia de expectativas, pronta para tudo, até mesmo para a morte.

– Amanhã eu vou embora – disse ele depois de refletir –, e você vai me acompanhar até a estação... Sua bagagem vai na minha mala, e lá eu compro sua passagem; no terceiro sinal, você entra no vagão – e nós vamos embora. Você vai comigo até Moscou e de lá vai sozinha para Petersburgo. Você tem carteira de identidade?

– Tenho.

– Garanto que não vai se lamentar nem se arrepender – disse Sacha com paixão. – Você vai embora, vai estudar, e depois, seja o que o destino lhe trouxer. Quando tiver transformado radicalmente sua vida, tudo vai ficar diferente. O mais importante é transformar a vida, o resto não tem importância. Então, vamos embora amanhã?

– Vamos, sim! Se Deus quiser!

Nádia achava que estava muito agitada, que seu coração estava oprimido como nunca, que até o momento da partida teria de sofrer e torturar-se. Porém, mal subiu para o seu quarto e se deitou na cama, adormeceu imediatamente e dormiu um sono pesado até o anoitecer, com vestígios de lágrimas e um sorriso no rosto.

V

Mandaram chamar um coche. Já de casacão e chapéu, Nádia subiu ao andar de cima para dar uma última olhada em sua mãe e nas suas coisas; parou um pouco no seu quarto, junto à cama ainda quente, olhou em volta, depois entrou sem fazer barulho no quarto da mãe. Nina Ivânovna dormia, o quarto estava silencioso. Nádia beijou a mãe, ajeitou seus cabelos e ficou ali de pé uns dois minutos... Depois desceu novamente, sem pressa.

No pátio caía uma chuva forte. O cocheiro, todo molhado, esperava junto à entrada, com a capota levantada.

– Você não vai caber ao lado dele, Nádia – disse a avó, quando os criados começaram a colocar as malas no carro. – Mas que ideia ir à estação num tempo desses! Era melhor ficar em casa com essa chuvarada!

Nádia quis dizer alguma coisa, mas não conseguiu. Sacha ajudou-a a subir e cobriu suas pernas com a manta, depois acomodou-se ao seu lado.

– Boa sorte! Que Deus o abençoe! – gritava a avó do alto da escadinha. – E você, Sacha, escreva para nós de Moscou.

– Está bem. Adeus, vovó!

– Que a rainha do céu o proteja!

– Que tempinho, hein! – disse Sacha.

Só então Nádia começou a chorar. Para ela, já estava claro que sua partida era fato consumado, o que ela até aquele momento não acreditava muito ao se despedir da avó e quando olhava para a mãe. Adeus, cidade! De repente ela se lembrou de tudo: de Andrei, do pai dele, da casa nova, da dama nua com o vaso; e isso já não a assustava, não a oprimia, era apenas algo ingênuo, insignificante, que ficava cada vez mais para trás. E quando entraram no vagão e o trem partiu, todo esse passado, que fora tão grande e importante, encolheu, e desenrolou-se um futuro imenso e largo, que até então era tão pouco visível. A chuva batia nas janelas do trem, podia-se ver apenas o campo verde; passavam rapidamente postes telegráficos e pássaros pousados nos fios. A alegria de repente lhe tirou o fôlego: ela se deu conta de que ia embora para se libertar, para estudar, e isso equivalia ao que antigamente se chamava juntar-se aos cossacos.* Ela ria, chorava e rezava, tudo ao mesmo tempo.

– Está tudo bem! – dizia Sacha, rindo. – Está tudo bem!

VI

O outono passou, depois passou também o inverno. Nádia já sentia muita saudade e diariamente pensava na mãe e na avó, e também em Sacha. As cartas de casa eram

---

* Originalmente, os cossacos eram servos que fugiam de seus senhores e iam para os extremos do império russo, onde viviam livres. (N.T.)

mansas, boas, parecia que tudo havia sido perdoado e esquecido. Em maio, após os exames, ela, alegre e saudável, foi para casa e fez uma parada em Moscou para ver Sacha. Ele continuava igual ao que estivera no verão anterior: barbudo, cabelos despenteados, com o mesmo casaco e as calças de brim, e com os mesmos olhos grandes e belos, mas seu aspecto era doentio, sofrido; estava envelhecido, magro e tossindo sem parar. E, por alguma razão, Nádia o achou apagado, provinciano.

– Meu Deus, Nádia chegou! – disse ele, dando uma risada alegre. – Minha querida amiga!

Ficaram algum tempo sentados na litografia, onde havia odor de cigarro e um cheiro forte e sufocante de tinta e de nanquim; depois foram para o quarto dele, onde também havia o cheiro de cigarro e cuspidelas pelo chão; sobre a mesa, ao lado do samovar apagado, estava um prato quebrado com um papelzinho escuro, e na mesa e no chão jazia uma infinidade de moscas mortas. Por tudo isso via-se que Sacha era desleixado com sua vida pessoal, vivendo como era possível, com total desprezo pelas comodidades, e se alguém começasse a falar com ele sobre sua felicidade, sobre sua vida, sobre autoestima, ele seguramente não entenderia nada e começaria a rir.

– Está tudo bem, deu tudo certo – apressou-se Nádia em contar. – Mamãe foi me visitar no outono em Petersburgo, disse que vovó não está zangada, apenas continua entrando no meu quarto e benzendo as paredes.

Sacha parecia alegre, mas tossia e falava com voz rachada, e Nádia olhava para ele e não entendia se a doença dele era realmente séria ou se era apenas impressão.

– Sacha, meu querido, você está doente! – disse ela.

– Não, não é nada. Estou doente, sim, mas não muito...

– Oh, meu Deus – assustou-se Nádia –, por que você não se trata, não cuida da sua saúde? Meu querido, meu bom Sacha – disse ela, e lágrimas brotaram em seus olhos.

Por algum motivo, na sua lembrança retornaram ampliados Andrei Andrêitch, a dama nua com o vaso e todo o seu passado, que agora parecia tão distante como a sua infância; ela começou a chorar porque Sacha já não lhe parecia tão novo, intelectual e interessante como no ano anterior.

– Sacha, querido, você está muito doente. Eu faria qualquer coisa para você não ficar assim tão pálido e magro. Eu lhe devo tanto! Você nem imagina o quanto você fez por mim, meu bom Sacha! Na verdade, você agora é a pessoa que considero mais próxima, mais querida.

Ficaram ali sentados, conversando; depois que Nádia passara um ano em Petersburgo, de Sacha e do seu sorriso, de toda a sua figura, emanava algo arcaico, fora de moda, há muito acabado e, talvez, já enterrado.

– Depois de amanhã vou para o Volga – disse Sacha –, e depois vou aonde tem *kumys*.* Quero beber *kumys*. Vai também um amigo meu com a esposa. Ela é uma mulher incrível. Estou fazendo o possível para desencaminhá-la, estou tentando convencê-la a estudar. Quero que ela mude radicalmente de vida.

Depois dessa conversa, foram para a estação. Sacha ofereceu a Nádia chá e lhe comprou maçãs. Quando o trem partiu, ele ficou acenando com o lenço, sorridente, mas até mesmo por suas pernas era visível que ele estava muito doente e que dificilmente viveria muito tempo.

Nádia chegou à sua cidade ao meio-dia. No caminho da estação até sua casa, as ruas lhe pareceram muito largas, mas as casas estavam pequenas, achatadas. Não havia ninguém; ela encontrou apenas o alemão afinador de piano, com seu paletó cor de cenoura. E todas as casas pareciam cobertas de pó. A avó, completamente envelhecida, gorda e feia como antes, abraçou Nádia com força e chorou

---

* Pronuncia-se kumýs. Leite de égua fermentado, bebida tradicional dos tártaros e mongóis que, segundo a crença, seria benéfico para quem sofre de tuberculose. (N.T.)

longamente com o rosto colado no seu ombro, sem conseguir soltá-la. Nina Ivânovna também havia envelhecido bastante e estava mais feia, parecia descarnada, mas, como antes, andava empertigada e nos seus dedos cintilavam os brilhantes.

– Minha querida! – dizia ela com o corpo todo tremendo. – Minha querida!

Depois sentaram e ficaram chorando sem dizer nada. Era visível que a avó e a mãe sentiam que o passado estava perdido para sempre e que não voltaria jamais: já não tinham posição na sociedade, nem as honrarias de antigamente, nem direito de convidar pessoas à sua casa; era uma situação semelhante à de uma pessoa que leva uma vida leve e despreocupada e, de repente, chega a polícia à sua casa, no meio da noite, dá uma batida e descobre-se que o dono da casa havia dado um desfalque ou era um falsário – e adeus para sempre à vida leve e despreocupada!

Nádia subiu para o seu quarto e encontrou a mesma cama, as mesmas janelas com cortininhas brancas, ingênuas, e através delas viu o mesmo jardim banhado de sol, alegre, barulhento. Tocou na sua mesa, sentou-se e ficou pensando. Depois almoçou muito bem e bebeu chá com um creme de leite gordo e delicioso, mas faltava alguma coisa, havia um vazio em todos os cômodos e os tetos estavam baixos. À noite, ela se deitou para dormir, se cobriu, mas, por alguma razão, achava engraçado ficar deitada nessa cama quente e macia demais.

Entrou Nina Ivânovna por um instante e sentou-se timidamente, com ar de culpada, olhando para os lados.

– Então, como você está, Nádia? – perguntou, rompendo o silêncio. – Está contente? Muito contente?

– Estou, mamãe.

Nina Ivânovna se levantou, benzeu Nádia e as janelas.

– Já eu, como vê, me tornei religiosa – disse. – Sabe, agora estou estudando filosofia e passo o tempo todo pensando, pensando... E muita coisa ficou clara como o dia para mim. Antes de tudo, eu acho, é preciso que toda a vida passe como que através de um prisma.

– Diga, mamãe, como está a saúde da vovó?
– Parece que ela está bem. Depois que você partiu com Sacha e chegou seu telegrama, a vovó, mal o leu, caiu no chão; ficou três dias deitada, imóvel. Depois, só fazia rezar e chorar. Mas agora está bem.

Nina Ivânovna levantou-se e caminhou pelo quarto.
"Tac-tac..." – soava a matraca do vigia. – "Tac-tac..."
– Antes de mais nada, é preciso que toda a vida passe como que através de um prisma – disse ela. – Ou seja, em outras palavras, é preciso que, na nossa consciência, a vida se separe nos seus elementos mais simples, como se fossem as sete cores básicas, e é preciso estudar cada elemento isoladamente.

O que mais Nina Ivânovna disse e quando ela saiu, Nádia não ouviu, pois logo adormeceu.

Maio chegou ao fim, começou junho. Nádia já havia se acostumado à casa. A vovó cuidava do samovar e dava suspiros profundos; à noite, Nina Ivânovna falava de sua filosofia; ela continuava a viver de favor na casa da avó e tinha de se dirigir a ela para cada copeque de que necessitasse. A casa estava cheia de moscas e os tetos pareciam cada vez mais baixos. A avó e Nina Ivânovna não saíam à rua com medo de encontrar o padre Andrei e Andrei Andrêitch. Nádia caminhava pelo jardim e pela calçada, olhava as casas, as cercas cinzentas, e lhe parecia que tudo na cidade envelhecera havia muito tempo, estava a ponto de desaparecer e apenas esperava o fim ou o começo de alguma coisa nova, jovem. Ah, se viesse logo essa vida nova e luminosa, na qual vai ser possível encarar o destino, ter consciência dos próprios direitos, ser alegre, livre! E tal vida cedo ou tarde se tornará realidade! Pois há de chegar o dia em que da casa da avó, onde quatro empregados são obrigados a viver em um quarto, no porão, na sujeira – há de chegar o dia em que dessa casa não ficará nem sinal, e ninguém se lembrará mais dela. E os únicos que distraíam Nádia, quando ela passeava pelo jardim, eram os meninos da casa vizinha; eles batiam na cerca e, para caçoar dela, gritavam entre risos:

– Noiva! Noiva!

De Sarátov chegou uma carta de Sacha. Com sua caligrafia alegre e dançante ele escrevia que sua viagem pelo Volga estava sendo um sucesso total, mas que em Sarátov ele adoecera um pouco, perdera a voz e estava internado num hospital havia já duas semanas. Nádia entendeu o que isso significava, e um pressentimento, parecido com uma certeza, tomou conta dela. Sentiu-se mal pelo fato de que esse pressentimento e as lembranças de Sacha já não lhe causavam preocupação como antes. Ela queria ardentemente viver, queria voltar para Petersburgo, e sua amizade com Sacha era algo muito precioso, mas que já ficara distante no passado! Ela não conseguiu dormir toda a noite e pela manhã ficou sentada junto à janela, de ouvido atento. E, de fato, ouviram-se vozes lá embaixo; a avó, nervosa, perguntava afobada alguma coisa a alguém. Depois, uma pessoa começou a chorar... Quando Nádia desceu, a avó estava de pé diante dos ícones e rezava, e via-se pelo seu rosto que tinha chorado. Havia um telegrama sobre a mesa.

Nádia caminhou durante muito tempo pela sala, ouvindo o choro da avó; depois pegou o telegrama e leu. Comunicava-se que na véspera, de manhã, falecera em Sarátov, de tuberculose, Aleksandr Timofêitch, ou, simplesmente, Sacha.

A avó e Nina Ivânovna foram à igreja encomendar uma missa fúnebre, enquanto Nádia continuava a caminhar pelos cômodos da casa e a pensar. Ela teve consciência nítida de que sua vida tinha sido virada de cabeça para baixo, como queria Sacha, de que ali ela estava só, era uma pessoa estranha, supérflua, que ela não precisava de nada dali; tudo o que havia antes fora arrancado dela e desaparecera como as cinzas que são levadas pelo vento depois de um incêndio. Ela entrou no quarto de Sacha e ficou algum tempo lá.

"Adeus, querido Sacha!" – pensava, e diante dela desenhava-se uma vida nova, ampla, espaçosa, e essa vida, ainda mal delineada, a atraía e fascinava.

Subiu ao seu quarto para fazer as malas. No dia seguinte, de manhã, despediu-se dos seus e alegre, viva, deixou a cidade – como supunha, para sempre.

Dezembro de 1903

Coleção L&PM POCKET (Lançamentos mais recentes)

703. **Striptiras (3)** – Laerte
704. **Discurso sobre a origem e os fundamentos da desigualdade entre os homens** – Rousseau
705. **Os duelistas** – Joseph Conrad
706. **Dilbert (2)** – Scott Adams
707. **Viver e escrever** (vol. 1) – Edla van Steen
708. **Viver e escrever** (vol. 2) – Edla van Steen
709. **Viver e escrever** (vol. 3) – Edla van Steen
710. **A teia da aranha** – Agatha Christie
711. **O banquete** – Platão
712. **Os belos e malditos** – F. Scott Fitzgerald
713. **Libelo contra a arte moderna** – Salvador Dalí
714. **Akropolis** – Valerio Massimo Manfredi
715. **Devoradores de mortos** – Michael Crichton
716. **Sob o sol da Toscana** – Frances Mayes
717. **Batom na cueca** – Nani
718. **Vida dura** – Claudia Tajes
719. **Carne trêmula** – Ruth Rendell
720. **Cris, a fera** – David Coimbra
721. **O anticristo** – Nietzsche
722. **Como um romance** – Daniel Pennac
723. **Emboscada no Forte Bragg** – Tom Wolfe
724. **Assédio sexual** – Michael Crichton
725. **O espírito do Zen** – Alan W. Watts
726. **Um bonde chamado desejo** – Tennessee Williams
727. **Como gostais** seguido de **Conto de inverno** – Shakespeare
728. **Tratado sobre a tolerância** – Voltaire
729. **Snoopy: Doces ou travessuras? (7)** – Charles Schulz
730. **Cardápios do Anonymus Gourmet** – J.A. Pinheiro Machado
731. **100 receitas com lata** – J.A. Pinheiro Machado
732. **Conhece o Mário?** vol.2 – Santiago
733. **Dilbert (3)** – Scott Adams
734. **História de um louco amor** seguido de **Passado amor** – Horacio Quiroga
735.(11).**Sexo: muito prazer** – Laura Meyer da Silva
736.(12).**Para entender o adolescente** – Dr. Ronald Pagnoncelli
737.(13).**Desembarcando a tristeza** – Dr. Fernando Lucchese
738. **Poirot e o mistério da arca espanhola & outras histórias** – Agatha Christie
739. **A última legião** – Valerio Massimo Manfredi
741. **Sol nascente** – Michael Crichton
742. **Duzentos ladrões** – Dalton Trevisan
743. **Os devaneios do caminhante solitário** – Rousseau
744. **Garfield, o rei da preguiça (10)** – Jim Davis
745. **Os magnatas** – Charles R. Morris
746. **Pulp** – Charles Bukowski
747. **Enquanto agonizo** – William Faulkner
748. **Aline: viciada em sexo (3)** – Adão Iturrusgarai
749. **A dama do cachorrinho** – Anton Tchékhov
750. **Tito Andrônico** – Shakespeare
751. **Antologia poética** – Anna Akhmátova
752. **O melhor de Hagar 6** – Dik e Chris Browne
753.(12).**Michelangelo** – Nadine Sautel
754. **Dilbert (4)** – Scott Adams
755. **O jardim das cerejeiras** seguido de **Tio Vânia** – Tchékhov
756. **Geração Beat** – Claudio Willer
757. **Santos Dumont** – Alcy Cheuiche
758. **Budismo** – Claude B. Levenson
759. **Cleópatra** – Christian-Georges Schwentzel
760. **Revolução Francesa** – Frédéric Bluche, Stéphane Rials e Jean Tulard
761. **A crise de 1929** – Bernard Gazier
762. **Sigmund Freud** – Edson Sousa e Paulo Endo
763. **Império Romano** – Patrick Le Roux
764. **Cruzadas** – Cécile Morrisson
765. **O mistério do Trem Azul** – Agatha Christie
768. **Senso comum** – Thomas Paine
769. **O parque dos dinossauros** – Michael Crichton
770. **Trilogia da paixão** – Goethe
773. **Snoopy: No mundo da lua! (8)** – Charles Schulz
774. **Os Quatro Grandes** – Agatha Christie
775. **Um brinde de cianureto** – Agatha Christie
776. **Súplicas atendidas** – Truman Capote
779. **A viúva imortal** – Millôr Fernandes
780. **Cabala** – Roland Goetschel
781. **Capitalismo** – Claude Jessua
782. **Mitologia grega** – Pierre Grimal
783. **Economia: 100 palavras-chave** – Jean-Paul Betbèze
784. **Marxismo** – Henri Lefebvre
785. **Punição para a inocência** – Agatha Christie
786. **A extravagância do morto** – Agatha Christie
787.(13).**Cézanne** – Bernard Fauconnier
788. **A identidade Bourne** – Robert Ludlum
789. **Da tranquilidade da alma** – Sêneca
790. **Um artista da fome** seguido de **Na colônia penal e outras histórias** – Kafka
791. **Histórias de fantasmas** – Charles Dickens
796. **O Uraguai** – Basílio da Gama
797. **A mão misteriosa** – Agatha Christie
798. **Testemunha ocular do crime** – Agatha Christie
799. **Crepúsculo dos ídolos** – Friedrich Nietzsche
802. **O grande golpe** – Dashiell Hammett
803. **Humor barra pesada** – Nani
804. **Vinho** – Jean-François Gautier
805. **Egito Antigo** – Sophie Desplancques
806.(14).**Baudelaire** – Jean-Baptiste Baronian
807. **Caminho da sabedoria, caminho da paz** – Dalai Lama e Felizitas von Schönborn
808. **Senhor e servo e outras histórias** – Tolstói
809. **Os cadernos de Malte Laurids Brigge** – Rilke
810. **Dilbert (5)** – Scott Adams
811. **Big Sur** – Jack Kerouac
812. **Seguindo a correnteza** – Agatha Christie
813. **O álibi** – Sandra Brown
814. **Montanha-russa** – Martha Medeiros
815. **Coisas da vida** – Martha Medeiros
816. **A cantada infalível** seguido de **A mulher do centroavante** – David Coimbra
819. **Snoopy: Pausa para a soneca (9)** – Charles Schulz

820. De pernas pro ar – Eduardo Galeano
821. Tragédias gregas – Pascal Thiercy
822. Existencialismo – Jacques Colette
823. Nietzsche – Jean Granier
824. Amar ou depender? – Walter Riso
825. Darmapada: A doutrina budista em versos
826. J'Accuse...! – a verdade em marcha – Zola
827. Os crimes ABC – Agatha Christie
828. Um gato entre os pombos – Agatha Christie
831. Dicionário de teatro – Luiz Paulo Vasconcellos
832. Cartas extraviadas – Martha Medeiros
833. A longa viagem de prazer – J. J. Morosoli
834. Receitas fáceis – J. A. Pinheiro Machado
835. (14). Mais fatos & mitos – Dr. Fernando Lucchese
836. (15). Boa viagem! – Dr. Fernando Lucchese
837. Aline: Finalmente nua!!! (4) – Adão Iturrusgarai
838. Mônica tem uma novidade! – Mauricio de Sousa
839. Cebolinha em apuros! – Mauricio de Sousa
840. Sócios no crime – Agatha Christie
841. Bocas do tempo – Eduardo Galeano
842. Orgulho e preconceito – Jane Austen
843. Impressionismo – Dominique Lobstein
844. Escrita chinesa – Viviane Alleton
845. Paris: uma história – Yvan Combeau
846. (15). Van Gogh – David Haziot
848. Portal do destino – Agatha Christie
849. O futuro de uma ilusão – Freud
850. O mal-estar na cultura – Freud
853. Um crime adormecido – Agatha Christie
854. Satori em Paris – Jack Kerouac
855. Medo e delírio em Las Vegas – Hunter Thompson
856. Um negócio fracassado e outros contos de humor – Tchékhov
857. Mônica está de férias! – Mauricio de Sousa
858. De quem é esse coelho? – Mauricio de Sousa
860. O mistério Sittaford – Agatha Christie
861. Manhã transfigurada – L. A. de Assis Brasil
862. Alexandre, o Grande – Pierre Briant
863. Jesus – Charles Perrot
864. Islã – Paul Balta
865. Guerra da Secessão – Farid Ameur
866. Um rio que vem da Grécia – Cláudio Moreno
868. Assassinato na casa do pastor – Agatha Christie
869. Manual do líder – Napoleão Bonaparte
870. (16). Billie Holiday – Sylvia Fol
871. Bidu arrasando! – Mauricio de Sousa
872. Os Sousa: Desventuras em família – Mauricio de Sousa
874. E no final a morte – Agatha Christie
875. Guia prático do Português correto – vol. 4 – Cláudio Moreno
876. Dilbert (6) – Scott Adams
877. (17). Leonardo da Vinci – Sophie Chauveau
878. Bella Toscana – Frances Mayes
879. A arte da ficção – David Lodge
880. Striptiras (4) – Laerte
881. Skrotinhos – Angeli
882. Depois do funeral – Agatha Christie
883. Radicci 7 – Iotti
884. Walden – H. D. Thoreau
885. Lincoln – Allen C. Guelzo
886. Primeira Guerra Mundial – Michael Howard
887. A linha de sombra – Joseph Conrad
888. O amor é um cão dos diabos – Bukowski
890. Despertar: uma vida de Buda – Jack Kerouac
891. (18). Albert Einstein – Laurent Seksik
892. Hell's Angels – Hunter Thompson
893. Ausência na primavera – Agatha Christie
894. Dilbert (7) – Scott Adams
895. Ao sul de lugar nenhum – Bukowski
896. Maquiavel – Quentin Skinner
897. Sócrates – C.C.W. Taylor
899. O Natal de Poirot – Agatha Christie
900. As veias abertas da América Latina – Eduardo Galeano
901. Snoopy: Sempre alerta! (10) – Charles Schulz
902. Chico Bento: Plantando confusão – Mauricio de Sousa
903. Penadinho: Quem é morto sempre aparece – Mauricio de Sousa
904. A vida sexual da mulher feia – Claudia Tajes
905. 100 segredos de liquidificador – José Antonio Pinheiro Machado
906. Sexo muito prazer 2 – Laura Meyer da Silva
907. Os nascimentos – Eduardo Galeano
908. As caras e as máscaras – Eduardo Galeano
909. O século do vento – Eduardo Galeano
910. Poirot perde uma cliente – Agatha Christie
911. Cérebro – Michael O'Shea
912. O escaravelho de ouro e outras histórias – Edgar Allan Poe
913. Piadas para sempre (4) – Visconde da Casa Verde
914. 100 receitas de massas light – Helena Tonetto
915. (19). Oscar Wilde – Daniel Salvatore Schiffer
916. Uma breve história do mundo – H. G. Wells
917. A Casa do Penhasco – Agatha Christie
919. John M. Keynes – Bernard Gazier
920. (20). Virginia Woolf – Alexandra Lemasson
921. Peter e Wendy *seguido de* Peter Pan em Kensington Gardens – J. M. Barrie
922. Aline: numas de colegial (5) – Adão Iturrusgarai
923. Uma dose mortal – Agatha Christie
924. Os trabalhos de Hércules – Agatha Christie
926. Kant – Roger Scruton
927. A inocência do Padre Brown – G.K. Chesterton
928. Casa Velha – Machado de Assis
929. Marcas de nascença – Nancy Huston
930. Aulete de bolso
931. Hora Zero – Agatha Christie
932. Morte na Mesopotâmia – Agatha Christie
934. Nem te conto, João – Dalton Trevisan
935. As aventuras de Huckleberry Finn – Mark Twain
936. (21). Marilyn Monroe – Anne Plantagenet
937. China moderna – Rana Mitter
938. Dinossauros – David Norman
939. Louca por homem – Claudia Tajes
940. Amores de alto risco – Walter Riso
941. Jogo de damas – David Coimbra
942. Filha é filha – Agatha Christie
943. M ou N? – Agatha Christie

945. **Bidu: diversão em dobro!** – Mauricio de Sousa
946. **Fogo** – Anaïs Nin
947. **Rum: diário de um jornalista bêbado** – Hunter Thompson
948. **Persuasão** – Jane Austen
949. **Lágrimas na chuva** – Sergio Faraco
950. **Mulheres** – Bukowski
951. **Um pressentimento funesto** – Agatha Christie
952. **Cartas na mesa** – Agatha Christie
954. **O lobo do mar** – Jack London
955. **Os gatos** – Patricia Highsmith
956(22).**Jesus** – Christiane Rancé
957. **História da medicina** – William Bynum
958. **O Morro dos Ventos Uivantes** – Emily Brontë
959. **A filosofia na era trágica dos gregos** – Nietzsche
960. **Os treze problemas** – Agatha Christie
961. **A massagista japonesa** – Moacyr Scliar
963. **Humor do miserê** – Nani
964. **Todo o mundo tem dúvida, inclusive você** – Édison de Oliveira
965. **A dama do Bar Nevada** – Sergio Faraco
968. **O psicopata americano** – Bret Easton Ellis
970. **Ensaios de amor** – Alain de Botton
971. **O grande Gatsby** – F. Scott Fitzgerald
972. **Por que não sou cristão** – Bertrand Russell
973. **A Casa Torta** – Agatha Christie
974. **Encontro com a morte** – Agatha Christie
975(23).**Rimbaud** – Jean-Baptiste Baronian
976. **Cartas na rua** – Bukowski
977. **Memória** – Jonathan K. Foster
978. **A abadia de Northanger** – Jane Austen
979. **As pernas de Úrsula** – Claudia Tajes
980. **Retrato inacabado** – Agatha Christie
981. **Solanin (1)** – Inio Asano
982. **Solanin (2)** – Inio Asano
983. **Aventuras de menino** – Mitsuru Adachi
984(16).**Fatos & mitos sobre sua alimentação** – Dr. Fernando Lucchese
985. **Teoria quântica** – John Polkinghorne
986. **O eterno marido** – Fiódor Dostoiévski
987. **Um safado em Dublin** – J. P. Donleavy
988. **Mirinha** – Dalton Trevisan
989. **Akhenaton e Nefertiti** – Carmen Seganfredo e A. S. Franchini
990. **On the Road – o manuscrito original** – Jack Kerouac
991. **Relatividade** – Russell Stannard
992. **Abaixo de zero** – Bret Easton Ellis
993(24).**Andy Warhol** – Mériam Korichi
995. **Os últimos casos de Miss Marple** – Agatha Christie
996. **Nico Demo: Aí vem encrenca** – Mauricio de Sousa
998. **Rousseau** – Robert Wokler
999. **Noite sem fim** – Agatha Christie
1000. **Diários de Andy Warhol (1)** – Editado por Pat Hackett
1001. **Diários de Andy Warhol (2)** – Editado por Pat Hackett
1002. **Cartier-Bresson: o olhar do século** – Pierre Assouline
1003. **As melhores histórias da mitologia: vol. 1** – A.S. Franchini e Carmen Seganfredo
1004. **As melhores histórias da mitologia: vol. 2** – A.S. Franchini e Carmen Seganfredo
1005. **Assassinato no beco** – Agatha Christie
1006. **Convite para um homicídio** – Agatha Christie
1008. **História da vida** – Michael J. Benton
1009. **Jung** – Anthony Stevens
1010. **Arsène Lupin, ladrão de casaca** – Maurice Leblanc
1011. **Dublinenses** – James Joyce
1012. **120 tirinhas da Turma da Mônica** – Mauricio de Sousa
1013. **Antologia poética** – Fernando Pessoa
1014. **A aventura de um cliente ilustre *seguido de* O último adeus de Sherlock Holmes** – Sir Arthur Conan Doyle
1015. **Cenas de Nova York** – Jack Kerouac
1016. **A corista** – Anton Tchékhov
1017. **O diabo** – Leon Tolstói
1018. **Fábulas chinesas** – Sérgio Capparelli e Márcia Schmaltz
1019. **O gato do Brasil** – Sir Arthur Conan Doyle
1020. **Missa do Galo** – Machado de Assis
1021. **O mistério de Marie Rogêt** – Edgar Allan Poe
1022. **A mulher mais linda da cidade** – Bukowski
1023. **O retrato** – Nicolai Gogol
1024. **O conflito** – Agatha Christie
1025. **Os primeiros casos de Poirot** – Agatha Christie
1027(25).**Beethoven** – Bernard Fauconnier
1028. **Platão** – Julia Annas
1029. **Cleo e Daniel** – Roberto Freire
1030. **Til** – José de Alencar
1031. **Viagens na minha terra** – Almeida Garrett
1032. **Profissões para mulheres e outros artigos feministas** – Virginia Woolf
1033. **Mrs. Dalloway** – Virginia Woolf
1034. **O cão da morte** – Agatha Christie
1035. **Tragédia em três atos** – Agatha Christie
1037. **O fantasma da Ópera** – Gaston Leroux
1038. **Evolução** – Brian e Deborah Charlesworth
1039. **Medida por medida** – Shakespeare
1040. **Razão e sentimento** – Jane Austen
1041. **A obra-prima ignorada *seguido de* Um episódio durante o Terror** – Balzac
1042. **A fugitiva** – Anaïs Nin
1043. **As grandes histórias da mitologia greco--romana** – A. S. Franchini
1044. **O corno de si mesmo & outras historietas** – Marquês de Sade
1045. **Da felicidade *seguido de* Da vida retirada** – Sêneca
1046. **O horror em Red Hook e outras histórias** – H. P. Lovecraft
1047. **Noite em claro** – Martha Medeiros
1048. **Poemas clássicos chineses** – Li Bai, Du Fu e Wang Wei
1049. **A terceira moça** – Agatha Christie
1050. **Um destino ignorado** – Agatha Christie
1051(26).**Buda** – Sophie Royer
1052. **Guerra Fria** – J. P. McMahon
1053. **Simons's Cat: as aventuras de um gato travesso e comilão – vol. 1** – Simon Tofield

1054. **Simons's Cat: as aventuras de um gato travesso e comilão – vol. 2** – Simon Tofield
1055. **Só as mulheres e as baratas sobreviverão** – Claudia Tajes
1057. **Pré-história** – Chris Gosden
1058. **Pintou sujeira!** – Mauricio de Sousa
1059. **Contos de Mamãe Gansa** – Charles Perrault
1060. **A interpretação dos sonhos: vol. 1** – Freud
1061. **A interpretação dos sonhos: vol. 2** – Freud
1062. **Frufru Rataplã Dolores** – Dalton Trevisan
1063. **As melhores histórias da mitologia egípcia** – Carmem Seganfredo e A.S. Franchini
1064. **Infância. Adolescência. Juventude** – Tolstói
1065. **As consolações da filosofia** – Alain de Botton
1066. **Diários de Jack Kerouac – 1947-1954**
1067. **Revolução Francesa – vol. 1** – Max Gallo
1068. **Revolução Francesa – vol. 2** – Max Gallo
1069. **O detetive Parker Pyne** – Agatha Christie
1070. **Memórias do esquecimento** – Flávio Tavares
1071. **Drogas** – Leslie Iversen
1072. **Manual de ecologia (vol.2)** – J. Lutzenberger
1073. **Como andar no labirinto** – Affonso Romano de Sant'Anna
1074. **A orquídea e o serial killer** – Juremir Machado da Silva
1075. **Amor nos tempos de fúria** – Lawrence Ferlinghetti
1076. **A aventura do pudim de Natal** – Agatha Christie
1078. **Amores que matam** – Patricia Faur
1079. **Histórias de pescador** – Mauricio de Sousa
1080. **Pedaços de um caderno manchado de vinho** – Bukowski
1081. **A ferro e fogo: tempo de solidão (vol.1)** – Josué Guimarães
1082. **A ferro e fogo: tempo de guerra (vol.2)** – Josué Guimarães
1084(17). **Desembarcando o Alzheimer** – Dr. Fernando Lucchese e Dra. Ana Hartmann
1085. **A maldição do espelho** – Agatha Christie
1086. **Uma breve história da filosofia** – Nigel Warburton
1088. **Heróis da História** – Will Durant
1089. **Concerto campestre** – L. A. de Assis Brasil
1090. **Morte nas nuvens** – Agatha Christie
1092. **Aventura em Bagdá** – Agatha Christie
1093. **O cavalo amarelo** – Agatha Christie
1094. **O método de interpretação dos sonhos** – Freud
1095. **Sonetos de amor e desamor** – Vários
1096. **120 tirinhas do Dilbert** – Scott Adams
1097. **200 fábulas de Esopo**
1098. **O curioso caso de Benjamin Button** – F. Scott Fitzgerald
1099. **Piadas para sempre: uma antologia para morrer de rir** – Visconde da Casa Verde
1100. **Hamlet (Mangá)** – Shakespeare
1101. **A arte da guerra (Mangá)** – Sun Tzu
1104. **As melhores histórias da Bíblia (vol.1)** – A. S. Franchini e Carmen Seganfredo
1105. **As melhores histórias da Bíblia (vol.2)** – A. S. Franchini e Carmen Seganfredo
1106. **Psicologia das massas e análise do eu** – Freud
1107. **Guerra Civil Espanhola** – Helen Graham
1108. **A autoestrada do sul e outras histórias** – Julio Cortázar
1109. **O mistério dos sete relógios** – Agatha Christie
1110. **Peanuts: Ninguém gosta de mim... (amor)** – Charles Schulz
1111. **Cadê o bolo?** – Mauricio de Sousa
1112. **O filósofo ignorante** – Voltaire
1113. **Totem e tabu** – Freud
1114. **Filosofia pré-socrática** – Catherine Osborne
1115. **Desejo de status** – Alain de Botton
1118. **Passageiro para Frankfurt** – Agatha Christie
1120. **Kill All Enemies** – Melvin Burgess
1121. **A morte da sra. McGinty** – Agatha Christie
1122. **Revolução Russa** – S. A. Smith
1123. **Até você, Capitu?** – Dalton Trevisan
1124. **O grande Gatsby (Mangá)** – F. S. Fitzgerald
1125. **Assim falou Zaratustra (Mangá)** – Nietzsche
1126. **Peanuts: É para isso que servem os amigos (amizade)** – Charles Schulz
1127(27). **Nietzsche** – Dorian Astor
1128. **Bidu: Hora do banho** – Mauricio de Sousa
1129. **O melhor do Macanudo Taurino** – Santiago
1130. **Radicci 30 anos** – Iotti
1131. **Show de sabores** – J.A. Pinheiro Machado
1132. **O prazer das palavras – vol. 3** – Cláudio Moreno
1133. **Morte na praia** – Agatha Christie
1134. **O fardo** – Agatha Christie
1135. **Manifesto do Partido Comunista (Mangá)** – Marx & Engels
1136. **A metamorfose (Mangá)** – Franz Kafka
1137. **Por que você não se casou... ainda** – Tracy McMillan
1138. **Textos autobiográficos** – Bukowski
1139. **A importância de ser prudente** – Oscar Wilde
1140. **Sobre a vontade na natureza** – Arthur Schopenhauer
1141. **Dilbert (8)** – Scott Adams
1142. **Entre dois amores** – Agatha Christie
1143. **Cipreste triste** – Agatha Christie
1144. **Alguém viu uma assombração?** – Mauricio de Sousa
1145. **Mandela** – Elleke Boehmer
1146. **Retrato do artista quando jovem** – James Joyce
1147. **Zadig ou o destino** – Voltaire
1148. **O contrato social (Mangá)** – J.-J. Rousseau
1149. **Garfield fenomenal** – Jim Davis
1150. **A queda da América** – Allen Ginsberg
1151. **Música na noite & outros ensaios** – Aldous Huxley
1152. **Poesias inéditas & Poemas dramáticos** – Fernando Pessoa
1153. **Peanuts: Felicidade é...** – Charles M. Schulz
1154. **Mate-me por favor** – Legs McNeil e Gillian McCain
1155. **Assassinato no Expresso Oriente** – Agatha Christie
1156. **Um punhado de centeio** – Agatha Christie
1157. **A interpretação dos sonhos (Mangá)** – Freud

1158. **Peanuts: Você não entende o sentido da vida** – Charles M. Schulz
1159. **A dinastia Rothschild** – Herbert R. Lottman
1160. **A Mansão Hollow** – Agatha Christie
1161. **Nas montanhas da loucura** – H.P. Lovecraft
1162(28). **Napoleão Bonaparte** – Pascale Fautrier
1163. **Um corpo na biblioteca** – Agatha Christie
1164. **Inovação** – Mark Dodgson e David Gann
1165. **O que toda mulher deve saber sobre os homens: a afetividade masculina** – Walter Riso
1166. **O amor está no ar** – Mauricio de Sousa
1167. **Testemunha de acusação & outras histórias** – Agatha Christie
1168. **Etiqueta de bolso** – Celia Ribeiro
1169. **Poesia reunida (volume 3)** – Affonso Romano de Sant'Anna
1170. **Emma** – Jane Austen
1171. **Que seja em segredo** – Ana Miranda
1172. **Garfield sem apetite** – Jim Davis
1173. **Garfield: Foi mal...** – Jim Davis
1174. **Os irmãos Karamázov (Mangá)** – Dostoiévski
1175. **O Pequeno Príncipe** – Antoine de Saint-Exupéry
1176. **Peanuts: Ninguém mais tem o espírito aventureiro** – Charles M. Schulz
1177. **Assim falou Zaratustra** – Nietzsche
1178. **Morte no Nilo** – Agatha Christie
1179. **Ê, soneca boa** – Mauricio de Sousa
1180. **Garfield a todo o vapor** – Jim Davis
1181. **Em busca do tempo perdido (Mangá)** – Proust
1182. **Cai o pano: o último caso de Poirot** – Agatha Christie
1183. **Livro para colorir e relaxar** – Livro 1
1184. **Para colorir sem parar**
1185. **Os elefantes não esquecem** – Agatha Christie
1186. **Teoria da relatividade** – Albert Einstein
1187. **Compêndio da psicanálise** – Freud
1188. **Visões de Gerard** – Jack Kerouac
1189. **Fim de verão** – Mohiro Kitoh
1190. **Procurando diversão** – Mauricio de Sousa
1191. **E não sobrou nenhum e outras peças** – Agatha Christie
1192. **Ansiedade** – Daniel Freeman & Jason Freeman
1193. **Garfield: pausa para o almoço** – Jim Davis
1194. **Contos do dia e da noite** – Guy de Maupassant
1195. **O melhor de Hagar 7** – Dik Browne
1196(29). **Lou Andreas-Salomé** – Dorian Astor
1197(30). **Pasolini** – René de Ceccatty
1198. **O caso do Hotel Bertram** – Agatha Christie
1199. **Crônicas de motel** – Sam Shepard
1200. **Pequena filosofia da paz interior** – Catherine Rambert
1201. **Os sertões** – Euclides da Cunha
1202. **Treze à mesa** – Agatha Christie
1203. **Bíblia** – John Riches
1204. **Anjos** – David Albert Jones
1205. **As tirinhas do Guri de Uruguaiana 1** – Jair Kobe
1206. **Entre aspas (vol.1)** – Fernando Eichenberg
1207. **Escrita** – Andrew Robinson
1208. **O spleen de Paris: pequenos poemas em prosa** – Charles Baudelaire
1209. **Satíricon** – Petrônio
1210. **O avarento** – Molière
1211. **Queimando na água, afogando-se na chama** – Bukowski
1212. **Miscelânea septuagenária: contos e poemas** – Bukowski
1213. **Que filosofar é aprender a morrer e outros ensaios** – Montaigne
1214. **Da amizade e outros ensaios** – Montaigne
1215. **O medo à espreita e outras histórias** – H.P. Lovecraft
1216. **A obra de arte na era de sua reprodutibilidade técnica** – Walter Benjamin
1217. **Sobre a liberdade** – John Stuart Mill
1218. **O segredo de Chimneys** – Agatha Christie
1219. **Morte na rua Hickory** – Agatha Christie
1220. **Ulisses (Mangá)** – James Joyce
1221. **Ateísmo** – Julian Baggini
1222. **Os melhores contos de Katherine Mansfield** – Katherine Mansfied
1223(31). **Martin Luther King** – Alain Foix
1224. **Millôr Definitivo: uma antologia de A Bíblia do Caos** – Millôr Fernandes
1225. **O Clube das Terças-Feiras e outras histórias** – Agatha Christie
1226. **Por que sou tão sábio** – Nietzsche
1227. **Sobre a mentira** – Platão
1228. **Sobre a leitura *seguido do* Depoimento de Céleste Albaret** – Proust
1229. **O homem do terno marrom** – Agatha Christie
1230(32). **Jimi Hendrix** – Franck Médioni
1231. **Amor e amizade e outras histórias** – Jane Austen
1232. **Lady Susan, Os Watson e Sanditon** – Jane Austen
1233. **Uma breve história da ciência** – William Bynum
1234. **Macunaíma: o herói sem nenhum caráter** – Mário de Andrade
1235. **A máquina do tempo** – H.G. Wells
1236. **O homem invisível** – H.G. Wells
1237. **Os 36 estratagemas: manual secreto da arte da guerra** – Anônimo
1238. **A mina de ouro e outras histórias** – Agatha Christie
1239. **Pic** – Jack Kerouac
1240. **O habitante da escuridão e outros contos** – H.P. Lovecraft
1241. **O chamado de Cthulhu e outros contos** – H.P. Lovecraft
1242. **O melhor de Meu reino por um cavalo!** – Edição de Ivan Pinheiro Machado
1243. **A guerra dos mundos** – H.G. Wells
1244. **O caso da criada perfeita e outras histórias** – Agatha Christie
1245. **Morte por afogamento e outras histórias** – Agatha Christie
1246. **Assassinato no Comitê Central** – Manuel Vázquez Montalbán
1247. **O papai é pop** – Marcos Piangers